豊臣秀長

ある補佐役の生涯

（上）

堺屋太一

文藝春秋

はじめに

私が、「この人」に興味を憶《おぼ》えるようになったのは、いつの頃からか、今は思い出せない。大阪の高等学校に通っているうちか、東京の大学に入ってからか、いずれにしろ三十年近くも前の事だ。

私が、「この人」に関心を持つようになった動機が、何であったかも、憶えていない。「この人」の肖像を見たとか、著作に接したとか、あるいは「この人」について書かれた書物を読んだというようなものではなかったことだけは確かだ。「この人」には、著書などないし、「この人」を主題にして書かれた書物も今もって見当らない。「この人」の肖像が京都と大和郡山《こおりやま》にあることを、私が知ったのは、つい最近、この一文を書く気になってからのことである。つまり、「この人」はそれほどに語られることも研究の対象になることも少ない存在だった。

私が、「この人」に関心を持つようになったのは、むしろ、この「語られなさ」のためだったように思う。史料と史家に等しくその才能と功績を認められながら、語られることのきわめて少なかった人物、ということが、とかく喧《かまびす》しい自己宣伝の多い現代社会の中でひどく特異に思えたのだ。

だが、私は歴史の中に埋れた人傑を掘り出して、自由な想像を楽しもうというつもりはない。

「この人」は、いわゆる「謎の人物」とか「抹消された悲劇の英雄」とかいった類にはほど遠い存在である。

「この人」には、不明の部分も多いが、「謎」というような隠された暗い感じはほとんどない。また、時の権力者や後世の史家によってその事績が削られた形跡もない。「この人」の生涯と果した役割には、そんな必要はあまりなかった。もし、「この人」の事績を歴史の表面からわざと隠した者があるとすれば、「この人」自身だろう。

もちろん「この人」は無名の人物ではない。数々の資料の中に、その名は繰り返し記録されているし、おそらく生存中には今日想像される以上に著名な存在だったに違いない。

「この人」が果した功績は非常に大きく、握った権限は著しく強かった。「この人」の人生は——少なくともその後半世は——まばゆいばかりの栄光に包まれている。何しろ「この人」は、百十六万石の大封を得、従二位権大納言の高位に至り、天下の政《まつりごと》の中枢に深くかかわり、百戦不敗の武功を誇り得た。しかも、「この人」は、その生涯の絶頂期において長い病いの末に生涯を終え、自らの大封を自らの養嗣子《ようしし》に譲ることができた。つまり、「この人」は功績を積み出世を重ね、至福のうちに天寿を全うしたのである。

「この人」が生きた時代、戦闘騒乱が絶えなかった十六世紀後半の日本には、英雄人傑が輩出し、それぞれに一家を成し一国を築いた。しかし、急速な成功者の多かったこの時代でも、「この人」以上の大封を得た人物は「天下人」と呼ばれる三人——織田信長、豊臣秀吉、徳川家康——のほかにはほとんどいない。敢えて捜せば、中国の雄・毛利元就《もとなり》が、不安定な状況ながら、かろうじてそれに匹敵する封領を持てたといえる程度である。つまり、「この人」は三人の「天下人」に次ぐ地位に昇ったのだ。

この一事だけでも、「この人」のなし得た成功がいかに大きかったかが分るだろう。特に、「この人」の少青年期が貧窮下賤のどん底にあったことを思えば、「この人」が三十年足らずの間に駆け上った出世街道の長さには改めて驚かされる。その生涯のうちに、これ以上の格差を駆け抜けた人物は、日本史上ではただ一人、「この人」の兄・豊臣秀吉だけであろう。たとえ、「太閤の弟」という途方もなく有利な血縁があったとしても、これはまた、奇跡的な人生といわざるを得まい。

しかし、「この人」の人生において、より奇跡的なことは、それほどの成功者でありながら、その業績と才能と生涯について記述されることがきわめて少なかったことだ。

織田信長、豊臣秀吉、徳川家康については、真偽とりまぜた伝記や逸話が数限りなくあり、小説、演劇、講談のテーマとして数知れぬほどに取り上げられている。「この人」が持った封領と権限に比べれば、一地方の小領主でしかない武田信玄、上杉謙信、前田利家、伊達政宗らでさえ、研究や創作活動のポピュラーな主人公となっている。「この人」の生きた時代は、日本史上最も多く文芸作品のスターが生れた時代なのだ。にもかかわらず「この人」については、史家も講談師も奇妙なほどに語りたがらない。

しかし、その原因が「この人」の凡庸さの故と考えることはできない。「この人」は、単に「太閤の弟」という縁だけで出世したのではない。その才能と人格の高さ、豊臣政権の樹立と維持に果した貢献の大きさについては、全ての史家が等しく認める所だ。中には、兄・秀吉があれほどの成功をなし得たのは「この人」のようなよき弟を持ったせいだという者さえいる。

また、「この人」が豊臣政権の一員であったためとか、偉大な太閤の一族であったが故に研究創作の対象とならなかった、とするのも正しくはない。「この人」に比べれば、非才無能な太閤の一族についても少なからぬ書物や論文が書かれている。「この人」の生きた時代は、個性豊かで魅力に富んだ人物が続出し、後世の関心を集める時代だった。中でも、「この人」の属した豊臣政権と豊臣一族は、史上稀な急成長ときらびやかな外見とによって、人々の興味を誘う集団である。にもかかわらず、秀吉自身を除けば、最大の功労者であり最高の実力者であった「この人」だけは、後世の人々に語られるような部分をほとんど残さなかったのである。

桑田忠親氏の大著、『豊臣秀吉研究』の巻末には、秀吉とその周辺の人物や事件に関して明治以来公刊された書物二百余点と論文約五百点が網羅されているが、その中にも「この人」を主題・主人公としたものはただの一点も見当らない。敢《あ》えてそれらしいものを捜し求めるとすれば、秀吉の家臣または一族について列記した書物の中に、「この人」の名——豊臣小一郎秀長または大和大納言秀長——を付した小節を見る程度である。

しかし、誤解ないように繰り返すのだが、「この人」に関する記録が皆目ないというわけではない。「この人」の名は史書にも史料にもかなり出て来るのであり、大筋においてその生涯と事績を跡づけることはある程度まで可能だ。ただ、「この人」自身を主題または主人公とする研究や書物がないのである。つまり、「この人」は常に脇役として登場する。そしてそれが、「この人」の果した役割に最もふさわしい出方なのだ。そんな役回りを、今日の言葉では「補佐役」と呼ぶ。「この人」は、日本史上最も典型的な、最も有能な補佐役であった。そして、そうあること以外を望まなかった。私がこれから描こうとしている人物・豊臣秀長とはそんな生涯を送った人である。

補佐役――それは、参謀ではない。専門家でもない。もちろん、一部局の長、つまり中間管理者でもない。そしてまた、次のナンバー1でもない。

「この人」は、豊臣家という軍事・政治集団の中でナンバー2の地位にあった。それは、秀吉がまだ木下藤吉郎とすら名乗っていなかった頃から、関白太政大臣《だじょう》として天下に号令するようになるまで変らない。「この人」からナンバー2の地位を奪えたのは、「この人」自身の病死だけである。

「この人」は、豊臣家の外的発展と内部調整において多大の功績を残した。時には、兄・秀吉すらなし得ぬことをした。兄・秀吉がやりたがらぬこともした。秀吉が行うことにも協力した。だがそれを、自らの姿が目立たぬようになし遂げた。「この人」の役割は、驚くべきプランを提唱することでもなければ、一部局を率いることでもなく、兄・秀吉と同体化することだった。

「この人」は、経歴の古さにおいても、実績の多さにおいても、実力と権力の大きさでも、兄・秀吉に次ぐ存在だった。誰疑うこともないナンバー2だった。だがその故をもって、次期ナンバー1を目指すことはなかった。「この人」の機能は、「補佐役」であって「後継者」ではなかった。

「この人」は、そういう役回りを不満に思いはしなかった。むしろそれを自分の天命と考え、よき補佐役たることに誇りを持っていたことだろう。「この人」は、兄と自分が一体となって形成する豊臣家のトップ機能の堅固さにこそ歓びと満足を感じていたに違いない。「この人」は参謀として謀をめぐらすこともなく、専門家として才技を誇ることもなく、次のトップとなることを望まず、何よりも自らの名を高めようと欲することなく生きた。それ故にこそ兄・秀吉と同化し真のトップ機能の一部となり得たのだ。

「この人」の死は、豊臣家の首長機能を著しく弱体化した。よき補佐役を失った秀吉は、ただ一人で首長の機能全部を果さねばならなくなり、多忙と孤独、独善と焦りに陥《お》ち込んでいく。このため、豊臣政権における内部調整の不備が、「この人」の死と共に噴出する。「この人」に代るよき補佐役が見つからなかったのだ。

史上に、優れた首長は数多い。天才的な参謀も少なくない。才能豊かな専門家や忠実勇敢な中間管理者も多数登場する。だが、よき補佐役はごく少ない。そして、補佐役を描いた物語はなおさらに少ない。

現代社会においては、戦国時代にも増して補佐役が必要である。人間の活動範囲は一段と拡大し、社会は一層に複雑化した。情報は多く決断は急がれる。首長にかかって来る仕事は猛烈に多い。だが、よき補佐役を持つ首長は決して多くはない。

組織の首長は、人材を求め、人材を育てようとする。よきスタッフ、よき専門家を捜す。よき後継者を育てようとする。だが、よき補佐役を捜し育てようとするトップは、必ずしも多くはない。そしてそれ以上に補佐役たろうと志す者は少ない。組織のナンバー2の多くは、「次期ナンバー1」か、大部局を担当する「部局の長」だ。首長を補佐する社長室長は、栄進の中での一時的役職であって恒久的な補佐役にはなり切っていないのが普通である。

この意味で、きわめて脆弱《ぜいじやく》な組織の中で終始よき補佐役を勤め抜いた「この人」——豊臣秀長——は、日本史上稀にみる存在であり、現代において最も望まれる人材だったような気がする。

私が、あまり書かれなかった「この人」を、敢えて描こうとしているのはこのためである。

目次

はじめに　3
小さな幸せ　17
生涯の決心　46
危ない道　70
梢は高く、根は深く　95
試練、そして出世への道　126
美濃の夢　149

敵中に功あり 173
竹中半兵衛 199
「天下布武」走る 222
上洛 246
深慮の貧乏くじ 265
敗走の功 291
試練のとき 318

豊臣秀長

ある補佐役の生涯

上

小さな幸せ

一

地は平たく、空は広い。この島国には珍しく山ははるかに遠い。海は近く、川がうねる。溝・畔《あぜ》の類は縦横に走っている。所々に沼が淀み、森が散らばる。

尾張国愛智郡中村――今は名古屋市内の市街地と化したこの辺《あた》りも、四百年あまり前の十六世紀中頃には、今日のその場所からは想像もできないような草と虫が群れる水っぽい風景であった。

広い平地と豊かな水量、貝や小魚の獲れる川海にも恵まれている。古来、米と魚貝を好んだこの国の民にとって、この地は豊かな環境を持っている。だが、そこに住む人が豊かなわけではない。物産の多い土地には人口も多くなる。みんなが分けあえば等しく貧しくなるまで、人間の数が増えるのだ。ここ二、三十年ほどの間に、この辺は開拓や干拓が進んだが、ここに住む人々がさして豊かになったようには見えない。変ったことといえば、多少人家が多くなり、幾分往来する旅人が増えた程度だ。この土地も、当時の日本の平均値に等しく貧しい。二十世紀後半の高度経済成長を経て、世界最高級の豊かさに達した今日の日本人には想像もできないほどの貧しさであった。

永禄四年（一五六一）夏七月——そんな貧しい農村に、一人の若い農夫がいた。いや、もうそれほど若いとはいえない。二十歳をいくつか超えている。人間の寿命が短く老化の早かったこの当時としては、今日の三十過ぎ、もうそろそろ中年といった感じだったかも知れない。

姓氏は、ない。名は、実は分らない。のちには木下小一郎と名乗り、羽柴小一郎長秀となり、やがて秀長と改め、最後には豊臣秀長と称し、大和大納言と呼ばれる。だが、二十歳を過ぎたばかりのこの時期、「この人」が何と称し、何と呼ばれていたのか、知る術《すべ》とてない。

通説によれば、「小竹《こちく》」（または「小筑」）と呼ばれていた、という。「この人」の親父が「竹阿弥《ちくあみ》」だったから、その子、という意味でこう呼ばれていた、というのだ。しかし、これも怪しい。「この人」が竹阿弥の子だったとは信じられないからである。

通説では、「この人」の母親、同郡御器所《ごきそ》村生れの「なか」が、ここ中村の百姓、弥右衛門に嫁ぎ一男一女を生んだが、弥右衛門が死んだので、近くにいた竹阿弥を入婿《いりむこ》として迎え、さらに一男一女を儲《もう》けた、ということになっている。はじめの夫、弥右衛門の子がのちの太閤秀吉とその姉「とも」であり、あとの夫との間にできたのが、「この人」——のちの大和大納言秀長と妹の旭姫だという。つまり、秀吉と「この人」とは異父同腹の兄弟というのである。

この説は、土屋知貞の編と伝わる『太閤素生記』がもとらしい。同書はさらに「大和大納言幼名、父竹阿弥タルニ依テ、小竹ト云ヒシト、後、所ノ者物語聞レ之」とある。『太閤素生記』は、秀吉の生れた中村の代官・稲熊助右衛門の娘が、その婿・土屋知貞に語った所を、知貞が書きとめたものだといい、かなり信憑《しんぴょう》性の高い史料とされている。江戸初期の編著といわれる真田増誉の『明良洪範』などもこれに準拠して書かれており、以後通説化した。

だが、京都・瑞龍寺が書き出した「木下家系図」によれば、秀吉の実父・弥右衛門の死は天文十二年（一五四三）一月二日となっており、諸書もほぼこれと一致している。とすれば、天文九年（一五四〇）生れの「この人」は勿論、天文十二年生れの妹（旭姫）も弥右衛門の子であった、と推定される。つまり、秀吉と「この人」とは、異父兄弟ではなく、両親とも同じ実の兄弟だったわけだ。

もっとも、実父が弥右衛門だったとしても、養父の名から「この人」が「小竹」と呼ばれていた可能性は大いにある。あるいは、この名が『太閤素生記』を語った代官の娘をして、「この人」を竹阿弥の子と錯覚させたのかも知れない。
「この人」の父親と幼名について、ややこだわった。小説には不向きな史料の詮索《せんさく》を冒頭に敢えて書いたのは、史学上の新説を普及するためではない。父親がはっきりせず、秀吉の異父弟か実弟かさえ分らぬ所に、「この人」の生き様がよく示されているように思えるからだ。

とにかく、今は「小竹」と呼んでおこう。それ以外に適切な呼び様がない。多少、疑わしくとも、全く創作するよりはましだ。

小竹は、村人たちに評判がよい。死んだ養父・竹阿弥にも好かれていたし、母親のなかにも妹にも愛されている。ふくよかな丸味のある顔立ちで性格も円満だ。村人たちの世話もよくするし、よく働く。

「小竹がいるので、おなかも幸せじゃ」

と村人たちはいう。その言葉の裏には、どうしようもなく不出来だった兄との比較がある。

小竹は、三つ年上の兄をよくは知らない。名は、猿とか猿吉とかいったらしいが、それもはっきりしない。何しろ、兄は十七、八年も前に家を出て、寺奉公に行った。小竹が五歳の頃、つまり実父の弥右衛門が死に、竹阿弥が入婿として入って来た翌年のことだ。猿は養父の竹阿弥と折合いが悪かった。それでも、養父を非難する者はいなかった。

この当時、農家の子供が口減らしのために奉公に出ることは多かったし、猿自身誰にも好かれていなかったのだ。猿は、小柄で痩《や》せて栄養不良気味の黒ずんだ顔をしているくせに、わんぱくで畑仕事の嫌いな子供だった。それ故、近くの禅寺、光明寺が猿を引き受けてくれた時には、実母のなかさえも、やれやれ、と思ったほどだ。

だが、それも束の間、猿は寺から追い返されて来た。寺仕事はせず、戦さごっこにふけり、御本尊の如来像を毀《こわ》したりしたからだ。一、二度は詫びを入れて、寺に連れ戻したが、すぐまた追い出されて来た。その都度《つど》、養父はガミガミと怒鳴り、母親はおろおろした。小竹には、そんな記憶が薄っすらとある。何しろ、数え年五、六歳の頃の出来事だから、よくは憶えていない。あるいは、死んだ養父の竹阿弥や近所の人々が、

「あの猿には手を焼いたが……」

などというのを聞いているうちに、そんなことを見聞きしたような気になったのかも知れない。

それでも、一度だけ、その兄について、はっきりした記憶がある。もう十年も前、そう確か小竹が十二歳の夏だ。突然、その兄が家に戻って来た。幼い頃の淡い記憶の通り、小柄で痩せて黒ずんだ顔で、忙しく動き大声でしゃべる少年だった。

「俺は武士になる。駿河《するが》に出て、今川治部大輔義元様に仕えるんにゃ」

少年は、およそ武士には不似合いな細い短い腕を振り回して、そんな事をいった。

「百姓も商人《あきんど》もおもしろないわい。俺は侍になるんにゃ。これからは侍の世じゃあ……」

と、大声でいって、大声で笑った。その上、

「まあ待っとれ、俺が馬乗りの身分になったら、おっかあも小竹も楽させてやるに……」

などと、一人悦に入ったりもした。

〈随分と夢のようなことをいう人だなあ……〉

小竹は、なじみの薄い兄の大言壮語を、そんな風に聞いた。できることなら、そんな無謀なことは止めろ、といってやりたいとも思った。だが、誰も止める者はいなかった。みな、この喧《やかま》しい少年を早く追い出したがっているように思えた。

小竹は、そんな兄に同情した。そして、その兄の空想的な希望がかなえられることを願った。おとなしい小竹にも、少年らしく夢見る心地はあったのだ。

この時、猿の途方もない夢の実現をまじめに願ったのは小竹だったかも知れない。養父も母親も、兄の大ぼらに面倒臭そうにうなずくだけだった。そして、二、三日後に猿の姿が見えなくなったあとで、両親が問題にしたのは、亡き先夫の遺産である永楽銭一貫目がなくなっていることだけだった。

それでも、兄は、この夢の実現にある程度成功しているらしい。二、三年前から、

「あの猿が、織田の若様にお仕えしているらしい……」

という噂を聞くようになったのだ。それどころか、最近は、

「小人頭《こびとがしら》にまでなったというぞ」

とさえいわれている。

小人頭といえば武家の雑用をする下男の兄貴分だ。まだまだ武士ではない。足軽でさえない。死んだ実父の弥右衛門が足軽、養父の竹阿弥が織田家の先代・信秀の同朋衆、つまり座敷周りの雑役夫だったのに比べても、出世といえるほどではない。もちろん、小竹にとって何らかの期待をかけられる身分ではない。それでも小竹は、このことを兄のために歓んだ。とにも角にも、兄は望み通り武家奉公で生きているのである。

小竹は毎日、田畑に出て農耕に励んだ。励まざるを得ない。母と妹とを抱えた農夫にとってはそれ以外に生きる方法がない。熱心に働き、一文銭をいくつかずつでも蓄え、多少の田地を買う。巧くやれば村年寄ぐらいにはなれる。それが小竹の唯一の夢だ。二十歳を過ぎた農夫なら、最早人生は決ったようなものだ。その人生に、小竹はさしたる不満もない。兄の選んだ道よりも、この堅実な生き方が性にあっているように思えるからだ。

二

小竹の生活は平凡だった。

特に今年――永禄四年（一五六一）――の夏はそうだ。天候が良好だし、世情も平穏だ。村同士のいさかいもないし、野盗・乱波《らっぱ》の類も現われない。何よりも、ここ何年か、毎年のように百姓たちを脅かしていた戦《いく》さの噂が、今年は全くない。

〈去年とは、えらい違いや……〉

小竹は、そんなことを考えた。去年の夏前には、ここ愛智郡中村郷でも、迫り来る戦さの足音に脅え切っていたものだ。

尾張の国では、戦さの脅威は大抵東から来る。尾張の南は海であり、西と北とはまず安全だ。西の伊勢では、小豪族が分拠して、未だに大きな力を持つ者がいない。その上、十数年来、一向宗なる新興宗教が浸透して、なおさらまとまり難くなっている。

北の美濃は、一時恐れられたこともあった。上方《かみがた》から来た油売り・斎藤道三《どうさん》なる怪人が、室町以来の名族・土岐《とき》氏を追って、国を盗《と》ったのは、もうかなり前のことだ。その直後には、余勢をかって尾張にも攻め込んで来るのではないかと心配されたものだが、どうしたことか、道三は息子に攻め亡ぼされてしまった。父を討ち果した息子・斎藤義龍は、二重の簒奪《さんだつ》のあとだけに国内をまとめかねている。しかも、最近は重病だとも聞く。到底、尾張にまで攻め下る余裕はなさそうだ。

それに比べて、東は怖かった。すぐ東隣の三河は、まあいい。ここで一番の豪族・松平氏は、武勇の誉れ高かった先代が急死して以来、全く振わない。今の当主・竹千代は、若年で三河の領国も治めかねるとかで、遠く駿河の国に人質として取られているという。問題は、その駿河だ。そこには、今川治部大輔義元という偉い大名がいる。いや、正確にいえば、去年の夏までいたのである。

古い家系と驚くほどの豊かさを誇り、数万の大軍を養って、遠からず京に上り天下に号令するであろう、と豪語していた。駿河ばかりでなく、遠江《とおとうみ》や三河の豪族たちもみなこの今川家に服従した。この尾張の中にすら、遠く駿河によしみを通じる地侍がいた。小竹の家出した兄・猿でさえ、十年ほど前に家に立ち寄った折には、

「同じ侍になるんなら強い殿様の家来にならにゃあ、あかんわい。俺らあ日本一偉い殿様に仕えるつもりじゃ……」

といって、この駿河の王者の名を挙げたほどだ。

高野聖《こうやひじり》の供や鍛冶《かじ》屋の下僕をしながら、濃、尾、三の三国を渡り歩いた浮浪の少年でさえこんなことをいったのだから、当時は、今川家の富強と将来性を疑う者は誰一人としていなかった。もっとも、兄の猿は今川義元に仕えたわけではない。今川に臣従して

いた遠江久能の城主・松下加兵衛尉之綱のもとに三年ほどいただけで、尾張に舞戻り、結局ここの領主・織田信長に仕えているのだ。

〈駿河の今川様とは、それほど偉いお殿様か……〉

小竹は駿河の栄華と今川家の強大を聞く度に、恐れと憧れを感じた。そして、

「あの今川様が京に向かわれると、ここの織田様などひとたまりもあるまい」

という巷説《こうせつ》を鵜《う》呑《の》みに信じた。何しろ、織田家は尾張半国を持つだけの小さな殿様だし、当主の若殿・信長様は「うつけ者」（アホウ）だといわれていたのである。

もっとも、この最後の点については、小竹は多少の異論を持っていた。

「若殿は決してうつけ者やない」

と彼は思った。武勇の誉れの高かった御先代が亡くなったあと、いくつかに分かれた尾張下半国を若殿の信長様は巧みにまとめた。お陰であちこちから年貢を取りに来る面倒もなくなったし、村と村との水争いや領内の小豪族の紛争もよく調停されるようになった。それに商人の往来が盛んになり、余剰米の売却にも日用品の購入にも便利になった。若殿は、商人を招き、取り引きを盛んにするのが好きなのだ。それが小竹の好みにもあっている。

「これだけのことをなさるお人やから若殿はうつけどころではない……」

という声も、三、四年前からぼつぼつ出だした。その少数意見に小竹は真先に賛成し

た。だが、だからといって、織田が今川に勝てるなどと思ったわけではない。

　中村の百姓・小竹が、二十歳前後の頃に持っていた四囲の政治情勢と若殿・信長に関する知識では、そこまで大胆な想像をすることはできなかった。この当時のこの地方の百姓が持つ以上の情報を、小竹は持っていなかったし、持とうとするほどの関心もなかったのだ。

「いよいよ、駿河のお館《やかた》が攻めて来られるらしい……」

　そんな噂は、ここ三、四年の間に何度か流れた。小竹はその都度眉をひそめ、それが実現しないことを願った。

　今川勢が上洛《じょうらく》するとなれば、その途上にある織田家は亡ぼされるか、今川に臣従するかどちらかだろう。いずれにしろ、尾張は今川の支配下に置かれるわけだ。それは大した問題ではない。織田の若殿は好きな殿様だが、ただそれだけだ。この土地の支配者が織田であろうと今川になろうと、百姓・小竹にはさしたる違いはない。家出した兄の猿が、織田家の小人頭《こびと》になっているからといって、他の百姓たち以上に、織田家を応援する気にもならない。親しみの薄い兄だし、兄の得ていると聞く小人頭という地位は惜しいほどのものでもない。

　小竹が恐れるのはそのあとだ。今川勢は、京に向かうに必要な兵糧《ひょうろう》を、ここでも徴発するに違いない。その上、小竹のような年齢の者は、軍役の雑夫として徴用される心配もある。そんなことになれば、コツコツと作った蓄えがなくなるばかりか、見知らぬ他国で生命を失う危険もある。母と妹を抱える小竹にとって、これほど厭《いや》なことはない。

〈駿河勢など来ないように……〉

小竹は、自らの小さな幸せを守るために、そう願った。この願いは、何度かかなえられた。どうしたわけか、今川義元の上洛はいつも立ち消えになったのである。

しかし、去年（永禄三年＝一五六〇）ばかりは違っていた。

「駿河のお館は、今年こそ上洛されるらしいぞ。駿府はその準備で大騒ぎじゃ……」

という話が、春先からこの村でも拡まった。

〈どうせ、今度も話だけでは……〉

小竹は、当初そんな希望的観測をしていた。だが、情勢は日に日に進んだ。そして、稲田が青々と茂りはじめる頃になると、

「今川様の上洛は確実や。駿河・遠江の侍たちに召集令が下ったぞ」

といわれるようになり、五月（旧暦）に入ると、

「既に今川勢は駿府を出た。旬日を出ずしてここに来る」

という報せが伝わって来た。

それと共に、織田方の動きもあわただしくなった。織田家の侍たちが、戦さのための兵糧集めと称して、米・麦・味噌《みそ》を買い集めに来た。少量ではあったが、来年分の年貢

を前納するようにとのおふれも来た。

「織田様は、清洲のお城に立て籠って今川勢を迎え撃つお覚悟じゃ……」

中村の代官・稲熊助右衛門は、主だった百姓たちを集めてそう語り、米・麦の売却や年貢前納に協力するよう説得したこともある。

〈今になって慌てて何になる……〉

小竹には、織田の若殿が憐れにさえ思えた。天下第一の強敵を相手にするのに、あと五、六日で敵が来るようになってから兵糧集めをしているようでは勝ち目がないように思えたからだ。

百姓たちもただ受け身に対応しただけではない。合戦近しの声につられて、天井裏からサビ槍を取り出して城に走る青年も現われた。この当時は、合戦と聞くと近隣の武将のもとに駆けつけて、足軽働きを申し出て、日当稼ぎと仕官の機会をうかがう野心的な若者が結構多かったのだ。

小竹も、それを誘われた。小竹の家にも槍と弓とがある。亡き実父・弥右衛門が残したものだ。弥右衛門は、一時織田家の足軽を務めたことがある。

だが、小竹はそれを断った。亡父の悲惨な生涯を思うと、とても足軽働きなどに出る気にはならない。小竹がこの時、気を配ったのは、次の収穫までの家族の食糧と来年の種子用のもみとを、今川勢に奪《と》られないように隠すことだけだった。

中村の百姓たちにとって、これは重大な問題だった。織田方の籠城が長く続けば、今川勢の兵糧徴発は厳しくなる。この当時の軍隊は、兵糧の大部分を行く先々で調達するのを常としていたから、滞陣が長引くと周辺の百姓たちは苦しめられる。悪くすれば、城方からも攻め手の側からも、焼打ちにあう恐れもある。村落の家屋が敵に利用されないためにそんなことをするのだ。

「織田様がはよう降参して下さればええがのお……」

今川勢の富強と必勝を信じる老人の中には、そんなことを囁《ささや》くものさえいた。異民族戦争の経験の乏しいこの国の農民町人は、戦さというものを、あくまでも支配階級の政権争奪戦とみていた。その意味でこの国の内戦は、全てクーデター的でさえある。

しかし、結果は全く意外なことになった。実にあっさりと、織田が勝ったのだ。何でも、五月十九日の午後に、三河の桶狭間《おけはざま》という所で休憩していた今川義元を、織田の若殿・信長様が急襲し、討ち取ってしまった、というのである。

〈戦さとは、そんなものか……〉

小竹は、狐につままれたような気がした。

何年もの間、あれほど富強を謳《うた》われ、恐れられてもいた駿河のお館が、一瞬にして敗死したというのだから、ちょっと信じられない気がする。それ以上に、たったそれだけのことで、強大無比といわれた今川家の大軍が、総崩れになって逃げ帰ったというのが、理解できなかった。

戦さがそんなものだとすれば、織田の若殿の採った作戦は、実に当を得たもののようにも思える。それに対して、世間の人々が当然のように語っていた長期籠城戦などは実にバカげている。城に籠って大軍に取り囲まれれば、いずれ負けるに決っているからだ。

〈織田の若殿は、実に小気味のいいお方や……〉

と、小竹は思った。密かに若殿を評価していた小竹には、信長の勝利は贔屓《ひいき》の力士が優勝したような快感があった。そして、そんな領主を持ったことを、百姓としても幸せだと考えたし、その殿様に兄の猿が仕えたのは、兄のためにもよき選択であったと喜んだ。

とはいえ、それであの兄から何かが期待できるわけではない。依然として兄は、家にも村にも寄りつかない。小人頭が足軽になったとしても、親・兄妹を養える身ではない。大敵・今川に勝ったといっても、織田家の領地が増えたわけでもないし、足軽にまで金品を下されたわけでもない。

それでも、桶狭間における織田家の勝利は、尾張の百姓たちに多少の利益をもたらした。その第一は、勿論、東からの戦さの脅威がなくなったことだ。そして妙なことに、東からの脅威が消えると、国内の統治と治安も一段とよくなった。水争いや境界紛争で、織田家の裁定に不満をもらしていた者たちがみな黙り込んだ。野盗・乱波の類も減った。

大敵・今川を倒して織田家の権威が著しく高まったからであろう。平和と治安の良さと戦勝による名声の向上が、商人の往来は一層盛んになった。

商人を呼ぶのだろう。

最近、上方で作られるようになった菜種油や木綿、茶などが尾張に運ばれて来る。とても高価だが、ごく少量の菜種油を小竹も買ったことがある。母のなかに、

「もったいない」

と叱られたが、実にうまかった。そんなものがこの世にあると思うだけでも楽しい。

その一方で、商人たちは、

「米があるなら買うたげまっせ……」

などと囁く。よく耕して出来がよければ、いくらかは現金にも換えられる。

そう思うと仕事にも今まで以上の張りが出る。今年は小竹も今まで以上野良仕事に精を出した。今年は天候に恵まれて豊作が予想される。うまく行けば、母にも妹にも麻布一枚新調してやり、油の一椀も得られそうだ。

〈どうやら、俺の生涯もうまい方に向き出した……〉

小竹は、そんな思いに小さな野心をかき立てながら、毎日、飽きることなく田んぼの中を這《は》い回っていた。小竹の生活は、そんな平凡な日々と小さな夢で満たされていたのだ。

三

その日も、小竹は終日田んぼで働いた。

空が広く、地が平たい尾張の夏は暑い。上から照りつける太陽が背を焼き、下から蒸し返る湯気が全身を汗で濡らす。小竹のふくよかな頬はほてり、円やかな顎《あご》からは汗がしたたり落ちる。

今年の夏は長い。もう七月も終りに近いというのにこの暑さだ。だが、百姓にはそれが有難い。お陰で稲の成長は順調だ。

〈こんな年にこそ余計に働かにゃ……〉

小竹はそう思う。天候に恵まれた夏には雑草の伸びもよく、それを取るか取らぬかで米の出来が大違いだ。

小竹は、しっかり者の母と無口な妹を帰したあとも、なお小半刻ほど田んぼの中を這い回っていた。今日中に、この田一枚の草取りを済ませて、明日は隣り村で行なわれる道普請《ぶしん》に行きたい。

織田の若殿のはじめた道普請に出れば、十文の明銭がもらえる。この当時の農民としては珍しく、小竹は「銭」というものに強い関心を持っていた。喰うことも着ることもできないのに、いつでも何とでも換えられる銭の不思議な効用が小竹にはたまらなく魅力的に思える。

小竹が家路についたのは、熱い太陽が平たい地の上すれすれまで傾いた頃であった。周囲の田畑にもう人影はない。今日も小竹は一番最後まで働いていたのだ。

仕事は厳しく身体はきつい。だが、今の所、この生活に不満はない。村では、小竹の家はまだしも余裕のある方だ。三、四年前に死んだ養父の竹阿弥が僅かながらも蓄えを遺して逝ったからだ。竹阿弥は、織田家の先代・信秀の同朋衆（座敷周りの雑役夫）をしていただけに、もらい物の道具類や衣服、幾ばくかの小銭などを残してくれた。

勿論、「遺産」と呼べるほどのものではないが、並の百姓よりはましだ。それを基に、年々の働きから多少ずつでも加えて行けば、小竹の一生のうちに田畑の二、三枚も買える可能性が十分にある。檀那《だんな》衆とまでは無理としても、村の顔利《き》きになることは夢ではない。現に、二年ほど前から、村人たちは小竹を世話役の下働きに加えるようになっている。小竹の人生は、百姓としては希望のある部類に属している。

小竹も、今ではそんなことを意識するようになり、努めてにこやかに振舞うように心掛けている。野良仕事からの帰りの今も、苦痛の表情は見せていない。衣服は汚れ顔は汗に濡れていたが、ふくよかな頰にはゆとりがある。だが、家の手前三十メートルほどの所で、それがはたと消えた。我が家の前に異常を認めたからだ。家の前の物干し用の空地に、馬が繋《つな》がれているのである。

〈馬がいる……〉

小竹は、驚いて歩みをゆるめた。この地方では、農耕には牛を使い、馬は専ら軍事用だ。小竹の家でも牛を飼っているが馬はいない。馬が繋がれているということは、侍が来ている証《あかし》と考えてもよい。

〈何事か……〉

小竹は訝《いぶか》った。馬に乗るほどの身分の侍が自分の家に来る事など、想像もできない。年貢の取り立て、とは思えない。去年の分は支払った。今年のはまだ納める必要がない。収穫が終ってから、穫れた米の約半分を庄屋に届けることになっている。それに第一、小竹のような小百姓の年貢を取り立てに馬乗り身分の侍が出向いて来るはずがない。どこぞのバカ侍が妹を見染めて立ち寄った、ということも考えられない。小竹の妹は既に十九歳。この当時としては嫁に行き遅れた年増だが、器量よしでもなければ、おもしろ味のある方でもない。のちに旭姫と呼ばれ、四十四歳にもなってから徳川家康の正室になったことで、歴史に名を留める女性だが、この政略結婚のほかには何の事蹟もエピソードも語られていないほどに、精気に乏しい無口な女性だったのだ。いかに側室を自由に増やせた時代だといっても、この妹を見染めて家に立ち寄るほどもの好きな侍がいるとは思えない。小竹は、自分の身内を、その程度に客観的に見ることができる男なのだ。

とすれば、何か事件があったのか。小竹はそうも考えてみた。だが、分らない。そんな大事をした憶《おぼ》えはないし、母や妹が犯すとも思えない。百姓間の問題は、たとえ殺人事件でも庄屋か、せいぜい代官所の下っ端限りで裁かれるのが普通であり、馬乗り侍が出る幕ではない。

小竹は、そんなことを考えながら、恐る恐る家に近づいた。日はまさに地平に没しようとする所で、空は紫色に染まり、あたりの明るさも減じていたが、近づくにつれて馬の様子がよく見えた。

〈ひどい馬だ……〉

小竹はそう知って、やや安心した。たてがみは半ば抜け、毛並ははげただれたように不揃いだ。その上、相当の老馬とみえて首を苦し気に垂れている。付け物もそれにふさわしく貧相だ。麻の古布の鞍《くら》に縄のあぶみ、縄のたづなである。到底、まともな身分の侍の乗り物ではない。

〈野武士か、牢人者か……〉

小竹はそう思った。もしこれが去年までなら、小竹はひどく脅え、もっと警戒しただろう。だが、あの桶狭間での勝利以来、尾張・織田家の名声はとみに高まり、野武士も牢人者も勝手な振舞いをしなくなった。そういう連中が来る事は珍しくないが、みな礼儀正しくおとなしい。あわよくば織田上総介《かずさのすけ》殿に仕えたい、という希望を持っているので、乱暴することはまずないのである。

〈これも仕官を願う流れ者かも……〉

小竹はそう思いつつ、老馬を横目に見ながら我が家の戸口の方に向かった。その途端、家の中からはじけるような笑い声が聞えた。

小竹は、ゆっくりと障子を開けた。笑い声の主の姿は、すぐ目についた。厚かましくも、たった一間しかない部屋の真ン真中に胡座《あぐら》をかいて、土間で夕食の仕度をしている母を見下ろしてしゃべっているのである。

〈何者か……〉

小竹は一瞬、瞳をこらした。声の大きさと態度の厚かましさに似ず、小柄な痩せた男だ。特に顔が凋《しぼ》んだように小さい。色黒で頬がこけているので、薄暗い屋内では一層貧相に見えた。そのくせ、妙に派手な柄のくくり袴《ばかま》を着ている。容姿と服装とが合っていないのだ。

「いよう、汝《わ》りゃあ小竹かにゃぁ……」

小竹の姿を認めた小男は、いきなり大声を発してはねるように立ち上った。華奢《きゃしゃ》な肉体からは予想できないほどに敏捷《びんしょう》な動作だった。

「汝《われ》も大きゅうなったのお、こりゃあ頼もしいわい……」

小男は、小竹の方に駆け寄りながら、顔一杯に笑いを作っていた。

小竹はどぎまぎした。相手の親しげな様子が不気味だった。この小男に見覚えとてない。

〈はて……〉

「俺が前に見た時ゃあ、汝はまだこんなやったに……」

小男は相変らず大声でそういうと、肩の高さに手を上げて見せた。この男が前に見た時の小竹の背丈を示しているのだろう。

「ああ……」

小竹は思わず叫んだ。ようやく思い当る節があった。家出した兄の猿に違いない。

「そうよ、俺《われ》は、汝の兄貴じゃよ、小竹……」

小男は、かまちにうずくまって顔を突き出して見せた。だが、その顔は、小竹の記憶の中にある兄のそれとほとんど一致しなかった。

小竹の記憶にあるのは、十年前、兄が十五歳だった頃のものだ。その時も兄は、痩せてはいたが若々しく、しなやかな肢体を持っていた。頬骨とアゴが突き出ていたが艶《つや》やかな膚《はだ》だった。華奢な身体だったが、三つ年下の小竹よりも背は高かった。知ったかぶりで世間を論じ立てもしたが、遊び友達にしたくなるような親しみも持てた。

だが、今、目の前にいる男は、頬がこけ、額に皺《しわ》が走り、ひからびたような黒い膚をし、小竹よりもはるかに小さく、ひどく演技振った大袈裟《おおげさ》な表情をする中年男だ。

〈随分と変ったなあ……〉

小竹がまず思ったのは、それだった。続いて、

〈無理もない、あれから十年経ってるんやから……〉

と考えた。小竹は、そこにいる小男が実の兄だという実感を感じようとして焦り苦しんだ。

だが、相手は、それにはおかまいなくしゃべりまくった。

「まあ上れ、俺の側へ来い」

と兄はいった。まるで自分の家に小竹を迎え入れるようないい方だ。だが、すぐ言葉を変えて、

「お前のお陰でおっかあも妹もたっしゃで暮せる。俺も安心してお城奉公をしておれる。嬉しゅう思うておるわ」

と、頭を下げた。あるいはまた、

「汝《われ》はこの村でも評判の働き者じゃそうな。俺はええ弟を持った、有難い事じゃ……」

と、小竹の手を握った。

〈何とよくしゃべる、声の大きな人か……〉

小竹は、一方的に大声でしゃべりまくる兄を見つめながら、そんなことを思った。こ

の大声と忙しいおしゃべりとが、記憶の中にある十年前の兄をよみがえらせるのには効果があった。あの時も兄は大声で忙しくしゃべっていたのだ。

「小竹、馬を見たか……」

次に兄はそれをいい出した。

「ありゃ俺の馬や。俺は馬に乗っとるんやぞ」

つまり、それほどの身分に出世しているのだ、といっているのである。

「それはお目出たいことですなあ……」

小竹はそつのない返事をした。ひどい馬だが馬には違いない。どこぞの侍が捨てた老馬をもらい受けたのだろうとは思ったが、それでも騎乗が許されているとなれば、大したものだ。噂に聞いていた小人頭よりははるかに出世したことになる。

「俺は今、織田上総介信長様の家中で組頭になっておるんじゃ……」

兄はそういって、偉いもんじゃろうといいた気に胸をそらした。

「組頭……」

小竹は少々驚いた。組頭といえば下士だ。今日の軍隊でいえば分隊長、つまり下士官に相当する。二十五歳の貧農の子が得た地位としては立派なものだ。亡父の弥右衛門は生涯平《ひら》の足軽、つまり上等兵クラスだったことを思えば、えらい出世である。

「猿は、もう頭にしてもろたのか……」

炊《た》き上った飯を持って来た母親のなかが、嬉しそうに念を押した。

「そうよ、組頭じゃ……」

兄はもう一度、力をこめて繰り返し、

「それに、名も猿ではないぞ、今では、木下藤吉郎というんじゃ。これからはそう呼んでくれい」

と、叫ぶように続けた。

「ええ……姓氏までいただいておるのか」

なかは、たまげたように身を反らした。不出来だった長男の出世がたまらなく嬉しいらしい。

「侍はええ。実におもろい」

兄は、一段と声を張り上げた。侍になれば手柄次第でどんどん出世できる。戦場で兜首《かぶとくび》の一つも取れば三貫、五貫の御加増は確実だ。普段の働きも評価される。禄も職も上る。百姓が一生かかってもできぬ栄達を三年、五年で果すことができる。

「ことに我が織田家はそうじゃ。信長様は身分・門地にこだわりなく、才のある者、功のある者をお取り立てになるんにゃ」

兄は、そういって、この俺がその証拠だ、と加えた。

確かに、猿には織田家が合っていた。最初に仕えた遠江久能の城主・松下加兵衛はよくしてくれたが、周囲が悪かった。猿はここに三年いる間に小納戸役にまでなった。いわば城主の身辺の雑用をする秘書課の主任ぐらいの地位だ。尾張から来た身寄りのない十六、七の少年には過ぎた出世だったに違いない。だが、これをねたんで悪口をいう者が多く、物が紛失すると猿が疑われ、所持品検査までされた。遂には松下も見かねて猿を解雇した。松下加兵衛は心優しい城主ではあったが、家中の者を抑え切るほど威令が行き届いていなかったのだろう。後年、猿は天下を取ると、徳川家康のもとで三十貫の微禄に落ちぶれていた松下加兵衛を捜し出し、もとの久能城主に戻し三万一千石の大名にしてやっている。困窮時代の自分を拾い上げ、小納戸役にまでしてくれた温情に報いたのである。

それに比べて、織田家は実にいい。猿は、十八の時にがんまく、一若という二人の小人頭の推薦で小人(雑用夫)に採用されたのだが、たちまち信長の目にとまり、草履《ぞうり》取りになり、馬屋係になり、四年後の二十二歳の時にはがんまく、一若と同格の小人頭になった。松下加兵衛のもとで小納戸役にまでなった前歴は全く無視されたが、その後の出世はまずまず順調といえる。

「信長様は、俺の働きを認めて、すぐに足軽に、さらに組頭にお取り立て下されたんじゃ。信長様は誰にも文句をいわさん偉いお方よ」

兄はしみじみとした口調でいって、

「これも侍なればこそ、織田家なればこそにゃ……」

と、目を細めた。

「なるほどのお……」

母親のなかは、ますます喜び、何度もうなずいていた。

「それにもう一つ、おっかあを喜ばすことがある。近く嫁をもらうんじゃ」

兄は、得意気に続けた。

「杉原定利入道が娘で、弓組頭の浅野長勝様の養女、ねねと申す者じゃ。まだ十四じゃがそれはそれは器量も気立てもええ女じゃわ……」

「それはまた……」

なかは息をつまらせた。

「弓組頭の娘御が、お前の嫁に来て下さるのか」

この母親には、「弓組頭の養女」というのが突き刺さるほどにこたえた。それは、亡夫の弥右衛門が接し得た一番偉い人の地位だったからだ。

「そうよ。この木下藤吉郎も小さいといえども一組あずかる頭じゃもんなあ」

兄は、そういってまた、はじけるように笑った。

「して、祝言《しゅうげん》はいつど……」

なかは、板の間をきしませて息子の方に膝ずりしながら訊ねていた。

ったろう。

兄は、妙に声を落して答えた。あとから思うと、この時、兄は舌なめずりする思いだ

話が思う方向に進み、母親を巧みに乗せ得たからだ。

「ついてはなあ、おっかあ……」

兄は、一段と声を下げ、顔を突き出していった。

「祝言となりゃあ、俺にも身内の一人や二人がいな格好がつかんで、しばらく小竹を貸して欲しいんじゃよ」

兄は、小竹を無視して、母親にそう頼んでいた。馴染《なじ》みの薄い弟よりも、母親の方がいい易いのだろう。

〈はは……、これが兄貴の十年振りの里帰りの目的か……〉

小竹はそれに気付いて苦笑した。

〈厭なことだ〉

と、思った。田の仕事もあるし、道普請にも行きたい。それに武家の祝言に座るのなど、気が重い。小竹はできることなら断りたかった。

だが、母親は兄の口車に乗せられてしまい、小竹が口出しする間もなく、

「ええとも、ええとも……」

と答えていた。

小竹は、おしゃべりで、大声で、表情動作の大袈裟な兄に「してやられた」と思った。だが、この時、小竹は兄の久し振りの帰宅の真意をまだ見抜いていなかった。恐ろしいばかりの出世欲に燃える兄は、母親や弟には想像もできないことを考えていたのである。

生涯の決心

一

「小竹《こちく》……。俺の家来になってくれや……」

小柄な兄が、急に声を低めてそんなことをいった。中村の家から清洲の城下に向かう道中だった。

夏の空は、今日も晴れわたり、そろそろ中天にかかろうかとする陽は痛いほどに強い。平らな尾張の水田地帯は、木陰も乏しく、暑さが酷《きび》しい。老馬を引いて歩む兄弟の頬は汗に濡れていた。

「はあ……」

小竹は曖昧《あいまい》な返事をした。兄のいった意味がよく分らなかったのだ。それほどに、この提案は唐突《とうとつ》であり、突拍子もないものだった。

兄の猿が、中村の実家に帰って来たのは、昨日の夕方、まだ一日も経っていない。十年振りの全く突然の里帰り、小竹にとっては、十年前に何日か居た記憶があるだけの馴染み薄い人物だ。兄というより「突如出現した男」といった感じである。

それでも、今は、この兄に幾分かの親しみを感じる。かねがね母親や近所の人たちから兄の噂《うわさ》を聞かされていたせいもあろう。母親が盛んに仲をとり持ったことも役立った。何よりも、この兄自身が大いにしゃべり、馴れ馴れしく振舞い、明るく無邪気に笑ったことが効果があった。

確かに兄は、異常なほどによくしゃべった。昨夜は遅くまでしゃべりまくり、今朝も早くからしゃべり続けている。表情は豊かだし、声も大きい。身振りも派手、動きも敏捷だ。それに素晴らしくよく気が付く。今朝も早くから、母親の水汲《く》みを手伝い、自分の馬と小竹の牛に餌《えさ》をやった。みやげも用意していた。母親には麻の古着を、妹には赤い鼻緒の雪駄を、そして小竹には紐《ひも》に通した永楽銭百枚を差し出した。当時の足軽や百姓の標準からすれば、大層なみやげである。

兄は、長い空白を一挙に埋めようとして、持てる総てを動員しているように思えた。だが、それには何の嫌味も押付けも感じられなかった。この兄には、人をして親しませる奇妙な才能がある、と小竹は思った。

しかし、それにしても、小竹が兄について知ることはまだまだ少ない。十年間の不在は一夕と一朝に語り尽すには長過ぎる。それに、武士の社会と百姓の生活との隔たりは一宿のうちに埋め切れぬほどに大きい。

兄は、組頭になったことを誇り、働き次第でいくらでも出世できる織田家の気風を礼賛したが、小竹には何の実感も呼ばなかった。兄が大袈裟に語った侍大将になるという夢も、どれほどの価値があるのか分らなかった。

「侍大将といえば、封百貫じゃぞ」

じれったそうに兄は叫んだ。小竹は頭の中で一生懸命に計算し、

〈うちの取高の十倍以上だ……〉

という結論を得た。この時代の物価水準では、一貫目の銭で米三俵（一石二斗）ほどが買えたのである。そして、やっと、

〈なるほど、それは大したもんや……〉

と思ったものだ。

だが、庄屋の源兵衛さんほどに偉いとは思えない。庄屋は子々孫々に伝えられる田畑を持っているが、侍大将には何があるのか。一郡一城の主として栄える豪族武士なら確かな支配地と大きな館を持っている。しかし殿様から銭で封禄を受けるだけの出世侍には何があるというのか。百姓・小竹にはそこが未だに分らない。農地・農業から切り離された専業の武士というものができてまだ間が無い。というより、織田の若殿・信長様

が考え出した面妖な制度なのだ。

それでも、母親のなかは大いに喜んだ。先夫が足軽、後に来た婿も同朋衆（座敷周りの雑役夫）だったなかには、侍大将という位置が、まばゆいばかりに感じられたのだろう。

「そうか……、猿は組頭にしてもろたか……。何、侍大将になるかも知れんと……話半分としてもえらいもんじゃのお……」

四十五歳の母親はそういいながら歯の欠けた口元をくしゃくしゃにした。そしてそのことで、小竹もまた喜んだ。

つまり、兄の饒舌《じょうぜつ》から小竹が知り得たのは、この馴染み薄い兄が別の世界でうまくやっているらしい、というぼんやりした感じだけだった。そして、それならば一層自分とは関わりのない存在だ、とも思えたのだ。

小竹は、兄が武士としてよりうまくやって行けるように応援してやりたい、と考える程度の好意は持った。だが、五反やそこいらの田畑を耕す小百姓にできることなどあるとは思えなかった。

それでも一つだけ、兄の頼み事を聞いてやることができた。七日あとに迫った結婚式に身内の一人として連なってやることだ。

兄はもう二十五歳にもなる。この当時としては遅い結婚だ。それに、組頭にもなっているとすれば、何かと準備もあるだろう。武家社会の慣習をよくは知らない小竹はそんな想像をした。兄のもらう嫁が弓組頭・浅野長勝の養女であり、仲人役が領主と同姓の織田因幡守《いなばのかみ》だというのだから大層なことなのかも知れぬ。

〈十日ほどはとどまって手伝わねばなるまいな……〉

小竹は、今朝、家を出る時そんなことを考えた。

十日間も野良仕事を休まねばならないのはつらい。隣り村で行なわれている道普請で日当稼ぎができなくなったのも痛い。だが、この兄のために役立てる数少ない機会を逃すべきではない。恐らくこれが、兄のために役立ってやれる最初にして最後かも知れないのだ。

今、清洲の城下に向かう小竹が、横にいる兄に対して抱いていた考えと感情は、そんなものだった。兄もまた、今の今までそれ以上の希望や期待を口にしなかった。

「小竹……。俺の家来になってくれや……」

という兄の唐突な言葉を、この利発な百姓の青年が解しかねたのも不思議ではあるまい。

だが、小竹の戸惑いに対する兄の反応には二度びっくりした。

「そうか、なってくれるか、小竹……」

兄は大声でそう叫んだのだ。

「俺も組頭ともなりゃあ身内の家来がおらんとやり難いと思うとったんじゃ。小竹がなってくれるとは、こんな嬉しいこたあないわ。武士の世では、血は水よりも濃いというぞ。何ちゅうても血肉を分けた兄弟に優るものはないわい」

兄はそういって、こりゃ嬉しい、こりゃええわ、と老馬の鼻先で雀躍《こおど》りして見せた。これを見て小竹は、はじめて慌てた。どうやら、兄の家来になるとは、百姓を辞めて武士になることらしい。それなら人生の大転換であり、家族一同の大問題だ。こんな路上で一瞬に決めるべき事ではない。

「兄者《あにじゃ》、俺に百姓を捨てろというのか」

事の重大さに気付いた小竹は、厳しい表情で問い返した。

「百姓……」

兄は振り返ってじろりと小竹を見た。凄味のある色が、一瞬、くぼんだ瞳の底を走ったが、すぐもとの無邪気な笑顔に戻っていた。

「百姓もええ。けど、武士はもっとええぞ。俺と汝《われ》とががっちりと手を組んでやりゃあ誰にも負けけん。組頭はおろか、侍大将ももうじきじゃあ……」

兄は有頂天の様子で、夢ばかりを拡げた。

〈はぐらかされた……〉

小竹は心の中でそう思った。だが、不思議と不快感はなく、警戒心も起きない。

「兄者、俺に武士が勤まると思うか……」

小竹はそんな尋ね方をした。体力には自信がない。身体も大きい方ではないし、腕力も弱い。村の若者たちの中でも喧嘩の得意な方ではない。到底、槍を振って敵を刺すことなどできそうもない。小竹はそんなことをいってみた。だが、兄は、

「できる、できる……」

といって、また大声で笑った。

武士は、体や力ではない。戦場《いくさば》で大事なのは度胸だ。向うから敵が群をなして来る。雄叫《おたけ》びが聞える。怖い。骨が鳴るほどに身が震える。それでも逃げず隠れずに進む。その度胸だ。それさえできれば、知らぬ間に戦さに勝ち功名が上げられるもんだ。

「どうや、小竹は度胸があるか」

と兄は問い返して来た。

「うん、それぐらいなら……」

小竹はうなずいた。戦さを見たことはないが、なんとなくできそうな気がした。

「そうじゃろう、俺の弟じゃもんなあ……」

兄はまた楽し気に笑った。そしてすぐ次の話をはじめた。

「しかし、武士に大事なのは戦場ばかりやない。普段の働きこそ大切じゃ。一に忠勤、二に目利《めき》き、三に耳聡《みみさと》じゃよ。殊に我が殿、信長様はそれをお好みになるでな」

忠勤とは、殿の気質を知り、殿のなされようとすることをいわれる前に測り、昼夜の別なく殿の意にかなうように動くことだ。

目利きとは、家中の事に目を配り、大小に関わりなく問題点を発見しいち早く改善することだ。

耳聡とは、領内の村々をはじめ隣国から全国各地に至るまでのさまざまな噂を集め、役立つものを細大もらさず殿のお耳に伝えることだ。兄はそんな説明をしたあとで、

「例えば……」

といって、こんな実例を語った。

去年の桶狭間での奇蹟的な織田方の大勝利は、何よりも敵の総大将・今川治部大輔義元の首を取ったことによる。ところが、信長様がこの合戦で功名第一となされたのは、義元に一番槍をつけた服部小平太でもなく、義元の首級を挙げた毛利新助でもない。今川の本陣が桶狭間に向かっていることを報せた梁田《やなだ》政綱こそ第一の功名とされ、これに三千貫の加増と沓掛《くつかけ》の城を与えられた。

「このように、信長様は太刀打ち、槍働きよりも、耳聡を重んじられるお方じゃ……」

兄は、後世有名になるこのエピソードをそんな言葉で締めくくった。膂力《りょりょく》のない自分でも出世の道は十分にある、といいたかったのだろう。

「なるほど、なるほど……」

小竹は、兄の巧みな話術にいつしか引き込まれて、大きくうなずいた。いつの間にか心の中には、

〈武士もおもしろいかも知れん……〉

という気がかすかながら起っていた。

二

小竹が、兄と共に清洲の城下に着いたのは、その日の午後、未《ひつじ》の刻（二時頃）である。清洲城下といっても、勿論、江戸時代の城下町とは違う。城も小さかったが、町はもっと貧弱だった。家数にすればやっと五百、それも板葺《いたぶ》き藁葺《わらぶ》きの小屋のようなものがほとんどで、いささかでも大きな邸は三十軒ほどしかない。商店が並ぶ所もあるが、それとても現在の縁日屋台程度のものが何十軒かあるに過ぎない。

それでも、中村からほとんど出たことのない小竹は目を見張った。人が多い。車も多いし馬も多い。それに何よりも、普請が恐ろしく多い。あっちでもこっちでも、大型の建物が建てられているし、道や溝の普請も盛んだ。まるで町全体が昨日火事で焼けたのかと思うほどに普請だらけだ。

「びっくりしたか、小竹……」

兄がいたずらっぽい目付きで問いかけた。

「うん、この前とは違うてえろう活気が出とるなあ……」

小竹は周囲をキョロキョロ見廻しながら答えた。

「この前……そりゃいつじゃ……」

兄は一段といたずらっぽい顔になった。

「うーん、三、四年も前かなあ」

「そらそうじゃろ。その頃の織田家と今の織田家は大違いじゃ。今や信長様の御威光は天下に轟《とどろ》き、殿の御政道は隅々まで届いておるでな」

兄はそういって、信長の施政方針について語り出した。

「信長様は、領内の武士をこの城下にお集めになっている」

兄はまずそれをいった。これまで主な武士はほとんどそれぞれの支配地に蟠踞《ばんきょ》し、所用の時だけ城に来た。極端にいえば、いざ合戦という時にさえ、家の子郎党を引きつれて馳《は》せ参じればよかったのだ。従って大名の城下といえども住んでいるのは大名自身の郎党だけだ。

信長はこれを改め、主な家臣はみな城下に住まわせる方針を打ち出している。だが、去年まではこれに従わぬ者も多かった。家老・重臣といわれるような連中は、大抵各村に根付いた豪族だったし、その家の子郎党はほとんど農業を兼ねていたからだ。

ところが、去年の夏の桶狭間での戦勝以来様子が変った。重臣たちは進んで城下に移り住むようになったし、その郎党たちも多数移住して来た。勿論、彼らの家族や使用人もついて来る。当然、邸は手狭になり、住宅は不足する。普請が盛んになるのは当り前だ。兄はそんな話をして、

「あれが林殿のお邸……、こっちが佐久間殿……、向うに見えるのは柴田殿じゃ……」

と、新しい大屋根や工事中の木組みを指差して、嬉しそうにいった。

〈信長様は、どうして重臣たちを城下に集めておられるのだろう……〉

小竹にはそれが分らなかった。小竹はまだ、目下進行中の大事件、「兵農分離」について何の知識も持っていなかった。

しかし、兄の語った信長の第二の施策は、それ以上に小竹を戸惑わせた。

「信長様は、武士ばかりではのうて、商人《あきんど》もお集めになっている」

というのである。

信長は、この新しい城下に各地の商人を呼び集めている。領内の者ばかりではなく、美濃、伊勢、近江、さらには京、堺というはるかに遠い都市からさえ、商人を呼んでいる。しかも、来た者には永続的に商売をさせる。望む者は城下に店を建て、住まいを持つこともどんどん許している。

「ほら、あの通りを見ろ」

兄は、ある辻で立ち止って右手の町並みを指し示した。幅二間半もあろうかと思われる広い通りの両側に十数軒もの家が建てられつつある。そればかりか、普請場の横では路上に屋台をおいて既に商いをはじめている者さえいる。

「あれは他国《よそ》から来た商人たちの店や。今にこの通りに天下第一の大店《おおだな》が並ぶ、清洲は大きな街になるぞ……」

兄は、自分の家のことのように誇らし気にいった。だが、小竹にはさっぱり分らない。

小竹の知る限りでは、商人はみな同業の者が集って座を作っている。座に入らないと商いはできないし、座に入るには株、つまり会員権を得なければならない。親・兄弟から相続するか、誰かから買い取るか、いずれにしろ株を手に入れるのは容易ではない。株の数が昔から決っているからだ。座の株こそは、百姓の田畑と同様、商人の最も基本的な権利であり、最大の財産であるはずだ。

それを織田の若殿・信長様は、誰でも僅かな冥加金《みょうが》を納めるだけで商いをさせる、という。まるで誰でも好きな畑を耕してよいぞ、というに等しい暴挙に思える。

〈信長様は、なぜそんなことをなさるのか〉

百姓・小竹にはまるで理解できない。

「信長様は、この清洲の御城下を大きくしたい。この尾張の国を豊かで便利な所にしたい。そう考えておられるのじゃ」

兄は、そう答えただけだった。この時には、兄もまだ、信長が大々的にはじめようとしていた「楽市楽座」の制度と効用を理解していなかったのだ。

「なるほど……」

小竹は一応うなずいた。織田信長という、自分よりは七歳ほど年上の殿様の考え方や性格についてはほとんど知らないが、その奇抜なやり方には強い魅力を感じた。そしてその事が、信長様に仕える武士の生活に憧れる気持を強めさせた。

忠勤と目利きと耳聡《みみさと》で大いに出世できる世界、どんどんと新しい邸のできる御城下での生活、考えもしなかった新しい制度、新しいやり方が展開されていく組織への参加、それらは、中村での十年一日の如き百姓暮しよりもはるかに夢があり楽しみがあるような気がした。

だが、それも束の間だった。兄の家についた途端、大きな幻滅が待ち受けていたのだ。

三

「小竹、ここが俺の邸じゃ……」

兄がそういった時、小竹は我が目を疑った。兄が指差したのは、吹けば飛ぶような板葺きの小屋が両側に並んだ幅三尺ほどの露地だった。

地面には臭気がしみている。小屋の板壁は隙間だらけで中が見える。間口九尺ずつほどに仕切られているようだが、入口らしい穴には戸も障子もない。目隠しのムシロがってあるのはいい方で、それさえないものもある。真夏のこととはいえ、あまりにも涼し気な格好だ。

「どれが……」

小竹は思わずそう訊ねた。

「これよ」

兄は、当然のように一番手前の一劃《いっかく》を指差して、

「まあ入れや、小竹……」

と、入口のムシロをたぐり上げた。中は、薄暗く、湿っぽく、そして暑かった。奥行きは二間ほどあり、前半分が土間、奥の方半分が板張りになっている。

〈俺の家よりひどい〉

小竹はまず、そう思った。小竹の家は、少なくとも二倍の広さがある。藁葺きながらも建付けはしっかりしている。天井があり天井裏には米穀や藁を入れる空間がある。入口には障子が入っているし、土間にはカマドがある。裏には板囲いの便所があり、井戸があり、牛小屋と納屋がある。だが、この長屋には、そうしたもの総てがない。部屋の隅に立てかけられた長い槍とその下にある古ぼけたつづらが、この家の全財産らしい。

〈嫁が来たらどうするのか〉

次に小竹はそれを心配した。幅九尺、奥行き一間の板の間があれば、夫婦二人は横になれるだろう。しかし、小竹の居る場所はない。土間に藁でも敷いて寝るのだろうか。その藁さえこの家には見当らない。それなのに、兄は、狭い土間にあの老馬を引き入れて来るではないか。そういえば、家中に漂う悪臭は、馬の糞尿《ふんにょう》の臭いに違いなかった。

〈これが、組頭の家か……〉

小竹はそれを疑った。だが、問い質《ただ》す間はなかった。馬を入れ終えた兄は、

「小竹、ちょっと待っとれ……」

とだけいい残して飛び出して行った。

間もなく兄は、長屋の同輩らしい者を数人連れて来た。一若、がんまく、丑造《うしぞう》といった連中である。

「さあ、みんな入れや……」

兄は、馬の尻を押しのけながら同輩たちを誘い込み、

「これが俺の弟や。今日から俺の家来になる。みんなよろしゅう頼むぞ……」

と、いった。

「それはそれは……猿の弟にしては大きいのお……」

同輩たちは、がやがやと板の間に上りながら、そんなことをいい合った。

「こらこら、俺はもう猿ではないわ」

兄が、はじけるような声でわめき返した。

「木下藤吉郎じゃと教えたであろうが……」

「そうじゃった、そうじゃった……」

がんまくだか一若だかが、ひやかすようにいい、

「して、御舎弟の名は何と申されるな」

と、問いかけた。

「小竹……」

小竹はそう答えようとしたが、兄に遮られた。

「弟はな、木下……、そう木下小一郎と申すんじゃ。いい名にゃに。みな、よう憶えてくれ」

小竹は驚いた。木下の姓は兄のそれに合わせたのだからともかくとして、小一郎などという名は聞いたことも考えたこともない。

「ほう、そらあ立派な名やなあ」

誰かが感心したようにつぶやいた。

「当り前よ。俺の親父どのは、御先代にお仕えして頭をつとめた者じゃもん、息子の名ぐらいは立派につけておるわ」

兄はまた大声でいった。これにも小竹は驚いた。親父の弥右衛門は確かに織田家の先代・信秀に仕えたこともあるが、姓氏とてない足軽に過ぎない。到底、木下小一郎などという大層な名を子供につける身分ではない。

「ワッハハ……」というような爆笑が一同から起った。明らかに兄の虚言をからかう笑いに思えた。しかし、兄は別段気にする風もなく、一緒になって、殊更に大声で笑っている。

「まあええわい。飲めや、今日は目出たい小一郎の門出じゃ……」

兄は、そんなことをいって、床の下からとっくりを取り出した。同時に、同僚の一人がいとも慣れた態度で、つづらの後ろから不揃いなかわらけを三、四枚持って来た。人数に対してかわらけは足りなかったが、困ることなどない。連中は一枚のかわらけを回して濁った酒を飲み合った。それはやがて、小竹にも回された。小皿に盛った塩のほかには、つまむものとてない酒盛りだった。

その夜、小竹は眠れなかった。兄は、小竹が家来になったと決めてかかっているようだ。はじめは一時の気まぐれほどに思っていたが、だんだんと話は本物になっていく。同輩たちにもそういって紹介した。小一郎などという名もつけた。明日は今度来る嫁の養父・浅野長勝や媒酌人の織田因幡守にもあいさつに行こう、という。そうなると、もうい加減なことでは止められない。

〈困った……〉

と、小竹は思った。武士になると決心したわけではない。これまで耕して来た中村の田畑を捨てる気にもなれない。そんなことをしたら、母や妹はどうなるのか。兄の封給だけで一家四人と新しく来る嫁とを養うことができるのだろうか。まず、そんな現実的な心配をした。

だが、それ以上に気になるのは、この兄自身である。話は巧《うま》い。夢も持っている。動きは活発だし、機転もきく。恐らく弟の自分にも、母や妹にも愛情と好意を持っているだろう。しかし、どうも現実離れした所がある。

今日の夕食は、長屋の一つに同輩が集ってワイワイと喰った。一人の女房だか妹だかが飯を炊き、別の女が菜を煮て汁を作った。農耕から切りはなされた足軽の住まい。それは一種の兵営だから、共同炊飯、共有生活になっている。

「米も銭も持ち寄りやから遠慮はいらん……」

兄は、そういった。だが、貧しいながらも独立家計を営んで来た小竹には馴染めない。嫁が来、弟が来、母・妹が加わればたちまち口数が増えて嫌われるに違いない。さりとて、この一家だけで炊飯をするには、カマドも井戸も道具もない。

どうもこの家は、頭ではなく、足軽のそれとしか思えない。先刻来た連中も頭とはいわなかった。馬がいるとはいえ、馬小屋がない。殿様から乗馬を許された武士としては奇妙なことだ。そういえば兄は、今日ここへ来る途中も、馬に乗りはしなかった。ただ引いて歩いていただけだ。

〈兄の話はどうも嘘《うそ》が多い……〉

小竹はそう思った。先刻聞いた親父の話も嘘だし、即興で出た小一郎という名も嘘だ。うすべり一枚を敷いただけの板の間に、着のみ着のままで横になった小竹は、蚊と蚤《のみ》との間断ない襲撃の中で、夜通し身もだえ続けていた。しかし、横の兄は、何の心配もなげに大鼾《おおいびき》をかいていた……。

四

「小一郎、朝めしを喰いに行こや……」

翌日は、兄のそんな言葉ではじまった。

「うん……」

考える所のある小竹はむっつりと答えた。

「どうした……小一郎という名が気に入らんのか……」

昨日と同じように兄は陽気だった。

「そんなこっちゃあないわ」

小竹は脹《ふく》れっ面を作って見せた。

「身体の調子でも悪いんか」

兄は、はじめて怪訝《けげん》な顔をした。

「いや……話があるんや……」

小竹は、兄の顔を睨《にら》んでいった。だが、兄はカラカラと明るく笑って、

「話ならあとじゃ、あとじゃ。早うめしを喰いに行かんとのおなるぞ」

などといいながら入口のムシロをたぐり上げにかかった。

「待ってくれ、兄者……」

小竹は懸命に叫んだ。

「めしなどどうでもええ。話が先じゃ、大事な話じゃよってに」

「何ぞなあ、小竹……」

出入口から半身をひねって問い返した。

「兄者は俺を家来にするちゅうとるが、……俺を喰わして行けるのか……」

小竹は、板の間に座り込んだまま、兄の顔から目を離さずにいった。

「おお、そのことか。それなら心配ないわ。今行きゃ朝めしが喰える。夕に行きゃあ夕めしが喰える。ねねが嫁に来りゃうちで炊いてもええ。そこいらの奴らにも振舞うてや

るわ」

兄はおどけた調子で、節をつけていった。

「おっかあと妹はどうするな」

「ここに来たけりゃ来ればええ。中村にいたけりゃいればええ。そのうちに妹にもええ婿を取らすつもりじゃ。何にも心配はないわ」

兄はなおもおどけた調子を崩さない。それで小竹は一段と苛立《いらだ》った。

「一体、兄者は何貫もろうとるんじゃ」

小竹は、鋭く問いつめた。だが、兄は、

「何貫……」

といって、はじけるように笑った。

「何貫でも、信長様は働き次第、手柄次第で下さると申したであろうが。俺とお前、藤吉郎と小一郎の働き次第で木下の家は何ぼでも伸びるんじゃ」

「何という曖昧なことを……」

小竹は腹立たしくなった。それが、馴染みの薄い兄に対して遠慮ない発言を可能にした。

「兄者は、ほんまに組頭か……」

一瞬、冷気が兄の顔に走って消えた。

「もうじきな……」

兄はいとも平然と答えた。

「今はまだ違うんじゃな」

「もうじきじゃ。嫁が来りゃあ頭にする、信長様直々にそういわれておるわ」


兄は悪びれることもなく、笑顔で答えた。

「では、おっかあにも俺にも嘘をついてたんやな……」

「まあ、そう堅いことをいうな。二カ月や三カ月のあと先はええではないか。母者を喜ばす方便と思うてくれや。小竹……」

兄は、依然として笑顔だった。

「おっかあを喜ばすのはええが、俺は家来になれんな、それでは……」

小竹は、はっきりといった。

「兄者の話は嘘が多い。それでは俺の身を預けるわけにゃいかんわい」

この言葉で、兄の顔から笑いが消え、窪《くぼ》んだ目がカッと光った。

〈怒鳴りわめくか、跳びかかって来るか……〉

小竹がそんな警戒をしたほどに凄まじい表情だった。だが、次の兄の動作は意外だった。兄は、はたと土間に膝をつくと、敏捷な動作で小竹の方ににじりよって来たのだ。

「小竹……。よういうてくれた……」

土間に跪《ひざまず》いた兄は、板の間の小竹に両手を差し伸べるようにして、語り出した。

「確かに俺は嘘が多い。しかし、生れも賤《いや》しく力もない俺が出世して行くためにはそうもせにゃならんのじゃ。俺はこうなると先に決めてから励む、これはこうするというてからやってみせる、まずは自分を追い込んでしもうてから、生きるためにあがく。それでのうては、這い上ることはできんのじゃ。分ってくれや、小竹……」

兄は、つい先刻までのおどけた陽気さとはがらりと変って、涙声になっていた。

「危ない渡世じゃにゃあ……それは……」

小竹は、半ば同情しながらも戒めをいった。

「そうじゃ。危ない橋も渡らにゃあならん。怖いこともあるわい。しかし、それをやり抜くのが出世の道じゃ。俺がな、小竹……」

兄は、膝這いのまま板の間に上り込んで来て、小竹の膝を抱きかかえた。

「汝《われ》に頼みたいのはそこじゃ。俺は、とにかく、前に走る。上を見ながらひたすらに走る。なればこそ、汝にあとをしっかりと支えてもらいたいんじゃ」

兄はそういって、「頼む……」と両手を合せた。

小竹は、うなずいた。兄にこう告白されると、怒りようもなかった。それ以上に、陽気に大法螺《ぼら》を吹いている兄の心の底にある孤独な淋《さび》しさを見せられた思いがして、

〈捨てられない……〉

という気になっていた。

「分った……」

小竹は、ぽつりと呟いた。

「な、なってくれるか、俺の家来に……」

兄は、大声で叫び、小竹の両手を握った。

「なる……」

小竹は、自らの惑いを断つように強くいった。

「但し、一つだけ条件がある」

「何じゃ、何なりというてくれ……」

兄は急《せ》き込んだ。

「来年の田植えまでに、ほんまの組頭になってくれ。その上で、改めて迎えに来てくれんか。おっかあをがっかりさせとうないからな……」

小竹は、ただそれだけをいった。

この瞬間、「この人」は二つの決断を下していた。その一つは不安と困難に満ちた海にこの馴染み薄い兄と共に船出する覚悟であり、もう一つはこの兄の補佐役として労多く功少ない立場に身を置く決心だった。

「この人」は生涯、自ら下したこの二つの決断に忠実に生きるのである。

危ない道

一

尾張・中村の百姓・小竹が、兄の猿の家来になって、清洲城下に移り住んだのは、いつであったか、史料も逸話も語ってはいない。

この猿、のちの太閤秀吉の主な家来たち――蜂須賀小六、竹中半兵衛、加藤清正、福島正則、石田三成、黒田官兵衛、宇喜多秀家等については、その主君との出会いを語る物語が伝わっているのに、最も重要な家来であった「この人」の登場は誰も伝えていないのである。

だが、諸般の事情から推測して、「この人」が兄に仕える身となったのは、兄が弓組頭・浅野長勝の養女ねね（またはおね）と結婚した永禄四年八月三日から間のない頃、つまり、翌永禄五年（一五六二）の正月頃ということのようだ。とすれば、今川義元の死後自立した松平元康、のちの徳川家康が織田家と同盟を結ぶために清洲を訪れた（永禄五年正月十五日と伝えられる）のと同じ頃、ということになる。

前の夏に、突然、十年振りに帰宅した兄・猿の切なる要望を入れて、「この人」は二十二歳で、百姓を捨てて武士になったわけだ。あの夏の日に、足軽長屋で小竹がつけた条件を満たして、兄が迎えに来たからである。

「小竹、俺は約束通り組頭になったぞ。ほれこの通り、今度こそほんまの馬乗りじゃ」

再び中村に現われた兄は、馬上からまずそう叫んだ。

確かに、兄は馬に乗っていた。前に来た時は、馬を連れているだけでついぞ乗らなかったのに。

馬も替っていた。縄の鐙《あぶみ》、麻布の鞍《くら》という貧相な付け物は同じだったが、馬そのものは前の老馬ではなく、丈夫な牡馬だ。その上、間抜けた面の青年が轡《くつわ》を取っている。供まで連れているのだ。

〈今度は本当らしいな……〉

小竹は、喜びと戸惑いの入り混じった思いで馬上の兄を見上げた。兄が約束通り組頭になった以上、自分も約束を守って家来になってやらねばなるまい。

〈危ない道……〉

ではある。戦さの絶えることとてないこの時代、武士は危険な職業だ。死ぬ恐れもあるし身体を損うことも多い。現に、実父の弥右衛門は、足軽働きに出たばかりに傷を負い、不自由な身となり、やがて死んだ。死傷はなくとも、生活の不安はつきまとう。織田家は、一昨年の桶狭間の戦勝以来威勢旺《さか》んとはいえ、まだ尾張一国さえ治め切っていない出来星大名だ。亡ぶ可能性もあれば領地が縮小する恐れもある。そんな時には組頭の家来など真先に馘《くび》になる。織田家が栄え続けても、殿様の気分一つで兄弟もろとも追放される場合もある。何しろ、織田家の当主・信長様は、気性の激しいお方なのだ。

〈百姓をしていれば安全なのに、何も選り好んで武士などに、それも組頭の家来という最下級の身分に、なる必要があるのだろうか〉

　夏のあの日以来、小竹は何度もそれを考えた。涙ながらに懇願した兄の大芝居に、ついつい条件付きで承知してしまったことを、悔やみもした。母にも妹にも打ち明けられない悩みだった。

「兄者がほんまに組頭になったら……」

　といった条件が、永久に満たされないことを密かに願う気持になることもあった。この半年間、小竹は兄の出世を願う弟の期待と安全な人生を求める百姓の希望との間で、戸惑いながら暮していたのだ。

　だが、兄は今、小竹の示した条件を満たした。日々身を粉にして働き、危ない橋も渡って、それを得たのに違いない。

〈仕方があるまい。これも運命や……〉

小竹は観念した。それ以外に考えられなかった。今更、兄との約束を取り消すことなど、真面目な百姓男には思いもよらなかった。

「分った。おっかあと妹に話す……」

小竹は、馬上の兄にそういった。母親も妹も反対することは分っていたが、最早あとには引けないような気がした。今、耕している五反あまりの田畑は妹に譲る。はよう婿を取って百姓を続けてくれ。いずれ、兄者と俺とで、おっかあを迎えに来る。二年とは待たさんから安心せえ。小竹はそんなせりふを頭の中に並べた。

とにかく、小竹は母親を説得するのに成功した。去年の米の出来がよく、当分喰うに困らぬこともあった。妹に婿が決りかけていたのも幸いした。兄が持参した一貫目の銭が武士の道を望みあるように思わせた効果も大きかった。しかし、何よりも、小竹自身が清洲で見た兄の暮しを伝えずにおいたことが母親を納得させるのに役立った。

清洲の城下に来た時、小竹を安心させることがいくつかあった。兄は、半年前の長屋ではなく、もう少しましな長屋に入っていた。うすべり敷きの二間とカマドのある土間、それに便所と馬小屋がついていた。そしてそこには十五歳の新妻ねねがいた。小竹のためには、前の兄の家と同じ長屋の一区劃が用意されていた。兄の指揮する三十人ほどの足軽達の住む棟の中である。

「十貫目だ」と兄はいった。米十二石ほどが買える年俸である。それで自分たち夫婦と家来一人、下男一人、馬一頭を養う。一人が一年間に米一石相当を喰い、副食と燃料とにその二分の一をかけるとすれば、米七石弱相当が食費で消える。現代経済学の用語でいえば、「エンゲル係数五八％」という暮しであり、この時代の日本人の平均からいえばやや余裕がある。もっともそれは、兄の夫婦に子供がなく、家来の小竹が独り者だからだ。それぞれが家族を持つようになれば、たちまち馬は飼えなくなり、人も喰いかねる。兵農分離が進んだとはいえ、まだ武士専業ではまともな暮しの難しい時代なのだ。

〈俺が女房を持つまでには、いやでも御加増いただけるように手柄を立てんといかんわけか……〉

小竹は、素早くそんな計算をした。

この専業武士の貧しさ、そしてそこから来る出世願望の強さが、織田家中の激烈な好戦性を生んでいた。

同じ「兵農分離」といっても、越前の朝倉家や畿内の小大名の場合は、村々の年貢を取り立てる豪族地主が、支配下の農村の余剰人口と共に城下に移り住んだものだが、織田家の場合は「楽市楽座」で集めた銭で無頼の流れ者を雇って、新たに傭兵団を作ったのだ。そしてそれを指揮したのが木下藤吉郎や滝川一益、明智光秀など、流浪の末に信長に仕えた有能者たちである。「この人」が兄・藤吉郎の家来になったのは、そんな織田家独特の傭兵団が出来たばかりの頃だった。

　それだけに、兄・藤吉郎にまかされた足軽どもは柄も悪く質も劣っていた。

　それでも、はじめの一カ月は平穏な日々が続いた。兄は足しげくお城に登り、殿・信長様のお側に通う。かつて、草履取りとして殿の間近に仕えた兄は、組頭の中では最もよく殿に知られている。それを利用して、事あるごとに殿のお側に出る。

「猿の厚かましさよ……」

　同僚の組頭たちは、みな顔をしかめている。だが、取り立てて何というほどのことは起らない。殿様自身が許しているのだから、妨害のしようもないのだろう。中には、

「組頭の分際で、お呼びもないのに殿のお側まで近づくとは怪《け》しからぬ」

と怒る上士もいるが、信長自身がそんな規則を守らぬお方なのだから負け犬の遠吠え程度のものでしかない。

　もっともこれは、いいことばかりでもなさそうだ。時には兄が、頰を腫《は》れ上らせて帰って来ることもある。

「殿のお叱りを受けたんや……」

という。信長様はよく殴《なぐ》るらしい。受け答えが悪ければ勿論、返事が遅くとも、差し

出す物が意にかなわなくても、朝駆けの馬が気に入らないというだけでも殴る。そんな時、殴り易い相手は元草履取りの組頭だ。父祖伝来の城持ち重役になると、いかな信長様も多少は気を遣うのだ。

〈殿は殴るために兄を側に近づけているのではあるまいか〉

小竹はそう思ったことさえある。だが、当の兄自身は、一向に気にしない。

「殿の御手が俺のど頭《たま》に強く触れたのよ……」

と陽気にいう。そして必ず、

「どうや。俺はそれほどに殿のお近くにおるんじゃ」

と威張って見せ、翌朝もまた早くからお城に向かう。そんな時にはよく何かをもらって来る。銭五枚の時もある。菓子一つの時もある。杯一個、茶一つまみという事もある。その都度、兄は、家来の小竹や部下の足軽たちにそれを見せびらかすが、大して値打ちのあるものは滅多にない。

〈信長様は、こまかいお人のような……〉

小竹は、それらの品からそう判断した。だが兄は、

「いやいや、俺の乏しい働きから見りゃあ過分じゃよ」

という。兄は、自分の言動が信長様の耳に入ることを常に意識しているのだ、と小竹は思った。そして、自らの言動をもこの兄にあわすように心がけた。だが、小竹の仕事

は、そんなことだけではなかった。

「小竹ももう慣れたやろう。今日からはお前が組の者を見てくれ……」

一カ月ほど経つと、兄はそんなことをいい出した。組頭の兄が毎日のようにお城通いをしているので、組下の足軽たちを監督する暇がない。兵法《ひょうほう》の鍛錬、非行の取締り、生活の相談、喧嘩《けんか》の仲裁、そんなことがどうしてもおろそかになる。年かさの丑造《うしぞう》という足軽にまかせてあったがどうも不十分だ。頭《かしら》の不在が三日も続くと、一緒になって怠け、博打にうつつを抜かしている。三十過ぎて足軽長屋に居る者など、どうせろくでもない男なのだ。

「俺は殿のお側に参らねばならんでな、お前が留守中よく見張れ」

兄は当然のようにそういった。

〈本末転倒ではないか〉

と、小竹は思った。組頭の本務は、組下の足軽を監督することであり、殿様の側に侍《はべ》るなどは出過ぎた余技だ。それをこの兄は、俺は余技に忙しいからお前が俺の本務をやれ、というのだ。

「俺には無理や。兵法もできんし、武士の習わしも知らん。第一、俺は頭ではないから、みないうことを聞かんやろう」

小竹は、そう抗弁した。

「できるとも。これぐらいお前にもできんわきゃあないわい……」

兄は軽く笑った。兵法や武士の習わしは知らなくともよい。非行の出ないように見張り、喧嘩の仲裁をし、相談にのり、悩みを聞き、めしと酒を適当に調えてやればよいのだ。

「兵法などは丑造が知っておる。あれでも丑は十回も戦さに出ておるんじゃ。習わしが分らなんだら浅野様に聞けばよいわい」

兄は相談相手として自分の女房の養父を指定した。頼りになるほどの人物ではないが、長く弓組頭を務めているから、しきたりには詳しい。

それだけいうと、兄はすぐ、小竹を足軽たちの前に連れ出して、

「今日から俺の舎弟・小一郎殿が俺に代ってみなの面倒を見る。何事も相談せよ。小一郎殿の言葉は俺の命令と思え」

と、宣言してしまった。兄が人前で、小一郎の名に「殿」を付けて呼び出したのはその時からである。

二

この日から、つまり、武士になってたった一カ月目から、小一郎の仕事は厳しいもの

になった。「組頭の弟」としてこの城下に来たことは、ただの小人《こびと》や足軽から武者仕えをはじめた者より、一見恵まれたスタートに思えるが、実はそうではなかった。兄は、不慣れな小一郎に、頭《かしら》の代理という難役を否応もなく押し付けたのだ。

組頭の兄は、一段とお城通いに精を出した。ほとんど毎日、未明から夕方まで、殿のお側に出ているらしい。その上、月に何度かは帰って来ないことさえある。お城に泊り込むのか、どこかへ行くのか、それさえ分らない。とにかく、忙しく動き回っていて小一郎も文句をつける暇もない。一方、足軽どもは遠慮がない。米が足りん。塩を出せ。銭を貸せ。何某が病気だ。誰々に博打で衣服をはがれた。いや喧嘩がはじまったからすぐに来い……。

小一郎はその都度、こまめに飛び出した。だが、手元に米も銭もあるわけではない。医者もいなければ衣服の余裕もない。何よりも武術にも腕力にも自信がない。それを知っているものだから、足軽どもは軽く見る。とりわけ腕自慢の古強者《ふるつわもの》はいう事を聞かない。戦乱の世では多少の乱暴は美徳とさえ思われている。

兄から組の取締りを命じられて何日目かに小さな事件があった。小一郎の仲裁を不満とした喧嘩の勝者が、熊のような巨体を震わせてわめき出したのだ。

「頭でもないのに大きな面をさらすな。俺らあ汝《われ》の組下ではないわ、文句があるならかかって来い」

「ふん……」

小一郎は、大男を見上げて鼻で笑った。

「素手の摑《つか》み合いなど戦さの用に立たんわい。これで俺を斬ってみろ」

といって、腰の刀を抜いて大男の胸元に突きつけた。相手も刀を出して打ちかかって来たら、ひとたまりもないだろう。小一郎は怖かった。だが、懸命に耐えた。

「骨が鳴るほど身が震えても退かずに進む度胸があれば武士は勤まる」

といった兄の言葉を思い出した。

果して大男はあとずさりをした。小一郎はそれを追って進み、長屋の板壁に追いつめた。そこで素早く刀を返し、柄の方を差し出した。

「さ、やれるか……」

最早、相手に斬る気力のないことを見てとった小一郎は、ニヤリとした。

「流石《さすが》……」

そんな声がした時、小一郎は刀を鞘《さや》に収め、短い説諭をして自分の長屋に戻った。戻ってからはじめて、骨が鳴るほどに身が震えた。だが、刀を突きつけた時には、不思議と剣先が揺れなかったことを思い出して、自ら満足した。

こんなことがあってから、足軽たちも小一郎のいう事を聞くようになった。だが、それにも増して、彼の権威を高めたのは、小まめに日々の面倒を見たことだろう。

兄から借りた僅かな銭を困っている者には貸してやった。だが、必ず次の俸給日には取り返した。二度目に貸す時には利子も取った。借金が損だと教えるためだ。そしてその利子を蓄えて、十日に一回の酒盛りの時にみんなに酒肴《しゅこう》を買い与えた。

博打は適度に許した。但し、賭金の一割は組のために上納させ、病気などで困った者に見舞いを出す制度を作った。そして必ず、月ごとに利子と上納金の額を全員に教え、自分の手元にかすめ残していないことを明らかにした。

相談事は時間を惜しまず聞いてやった。親元に帰る者には、僅かでもみやげを持たすようにした。その代り、帰りが遅れた者からは必ず給金を引いた。幸いなことに、このみやげ代と罰金とはほぼ釣り合い、兄から借り受けた米銭が減ることはなかった。

なかでも小一郎が精を出したのは、喧嘩・もめ事の仲裁だった。双方から念を入れて事情を聞いたし、当事者以外の証言も求めた。悪い者には雑役を命じたり厳しい教練をさせたりする一方、悪くない者には酒などを飲ませた。苦情処理ともめ事の仲裁は、生涯「この人」の最も得意とした所である。

こうした努力の結果、二カ月を経ずして足軽たちも小一郎を尊敬し、その言葉を重んじるようになった。織田の家中でも、

「木下組はよく統制されている」

といわれるまでになり、兄をいたく喜ばせた。この評価がある限り、兄が殿のお側に

侍ることを妨げる理由がないからである。

だが、まだ小一郎には足りないものが多かった。何よりも武士としては一番大事な戦場に臨んだことがなかった。それをまた露骨にいう者もいた。

しかし、その機会もすぐに来た。今川義元を倒し、三河の松平元康（のちの徳川家康）と結んだ織田信長は、いよいよ美濃《みの》攻略にとりかかったのである。

三

「いよいよじゃぞ、小一郎殿……」

旧暦四月の末、そろそろ梅雨が近づいた頃、お城から戻って来た兄は、窪んだ目をはち切れんほどに大きく見開いて、そう叫んだ。

「何がやな、兄者……」

小一郎は、渋い顔で問い返した。組下の足軽の世話に忙しい小一郎には、まだこの上に「いよいよ」の仕事が加わるのは嬉しくない。

「合戦よ、また美濃攻めじゃ」

兄は嬉しそうにいった。

一昨年の夏に、桶狭間の奇襲で大敵・今川義元を倒した織田信長は、去年も何度か西美濃に出陣している。美濃では、去年の五月斎藤義龍が死に、子の龍興が立った。今年二十八歳になった信長は、美濃の政情不安を利用して領土を拡げようと、間断なく出兵しているのだが、これまでの所、大した成果は上っていない。去年六月には斎藤氏の本拠・稲葉山城（のちの岐阜城）間近にまで迫ったが撃退された。今年も梅雨前に美濃攻めをする、というのである。

「今度は、信長様直々の御名指しで、この木下藤吉郎が先駆けと決った。名誉なことよ。喜べや、小一郎」

長屋の中に入ると、兄は得意気に小さな胸を張った。二人だけになるときまって小一郎の名から「殿」が消える。人前でだけ、組頭の家来に過ぎない我が弟を殿付けで呼ぶ不自然さに、少しでも自らを飾りたいこの兄の哀しさがにじみ出ているような気もする。

「そうか、先駆けか……」

小一郎は精一杯嬉しそうな顔をして見せた。だが内心は心配の方がはるかに強い。何といっても合戦に出るのははじめてだ。二十二歳の初陣は、この当時ではいかにも遅い。現代の感覚でいえば、三十過ぎて会社勤めをはじめた男に就職三年目で最初の商談が廻って来たような感じだったろう。つい数カ月前まで百姓だったのだから仕方がない。それでも、組頭の代理をしている身としては並以上の働きはせねばなるまい、と思う。

だが、武術の心得はないし膂力《りよりよく》も乏しい。ここへ来てから何度か槍を握ってみたが、組下の足軽ほどにも扱えない。敵に殺されるのは怖いが、刺し殺すのも恐ろしい。とても先駆けを喜べる状態ではないのである。

〈せめて、明日から槍の稽古でもするか……〉

小一郎はそんなことを考えた。だが、兄は全く別のことをいい出した。

「それでな、小一郎。明日、気の利いた奴を四、五人連れて木曾川原に行く。お前もついて来い」

「木曾川原へ……。そらまた何しに……」

小一郎は小首をかしげた。

「何をするかは、行ったら分る」

兄はぴしりといった。

なるほど、木曾川に着いた時には、兄の意図が分った。兄は、連れて来た足軽たちを手分けして近在の村々に走らせた。最近、川を渡った者を捜し、浅瀬の場所を聞いて来い、というのだ。

やがて、二、三人の者が戻って来て、そこここといい出した。兄はまた舟を借り、百姓風に服装を変えて川を漕ぎ渡った。そしてさらに三、四回も徒歩で横断した。最初は深みに落ち、流れに足を取られたこともあったが、やがて比較的楽に渡れる浅瀬が分った。

「今、渡った筋をよう憶えておけ……」

兄は、一同にそういい付け、川原に目印の石を積ませた。

「もう梅雨も近い。美濃の地侍どもは田植えの用意に忙しい。そこを衝《つ》くのが信長様の作戦や」

帰り道に、やっと兄は種明しをした。

「俺はそれを悟ったから、渡しの場所を捜しておいたのよ。今度の戦さの成否は、迅速な渡河にかかっておるでな……」

そういって兄は、尖《とが》った鼻をうごめかせた。

「なるほどなあ……」

小一郎は、兄の知恵に感心した。要するにこの兄は、戦場においても「目利き」で点数を稼ごうとしているのである。

しかし、肝心の出陣の日、五月三日には、兄の努力も何の効果も上げないかに見えた。信長は全く違った方向に軍を進め、彼らのさぐった川原から一里も離れた地点で渡河を命じたからだ。信長もまた、用意周到に別途渡河地点を調査していたのである。小一郎は大いに失望した。しかも、合戦自体がみじめだった。織田軍が軽海《かるみ》という地点まで進軍した時、横から斎藤方の攻撃を受け、あっという間に隊伍が乱れてしまった。

幸い、小一郎は大した敵に出会わなかった。別に敵を避けて逃げ走ったわけでもないが、先頭集団にいた木下組の位置が敵の攻撃面からはずれていたのだ。織田勢の隊列は敵襲に押されて歪《ゆが》み、やがて総退却になった。木下組の属していた先頭集団もひたすらに後退した。乱れた味方の中軍を通り抜け、信長の本隊に合流して南に走った。そして皮肉にも、この敗走が兄の苦労を生かすことになった。前もって捜してあった渡河の浅瀬が退却路として活用された。だが、逃げ道を捜しておいたというだけでは大した手柄にもならない。戦さが終って無事引き揚げた連中はみな、わしらは逃げずともよかったのに、といい出すからである。

幸い、敗戦の割には死傷者は少なかった。兵力の不足していた斎藤方は深追いしなかった。それにもかかわらず、織田家の兵数はかなり減った。三十人に満たない木下組でも六人が戻って来なかった。戦さを恐れて逃げ去ったらしい。

「なんたることか」

小一郎は怒り、かつあきれた。だが、兄は、

「いつものことよ。また集るに」

と涼しい顔で答えた。流れ者や乱波の類を集めた織田傭兵団は何ともだらしなく弱かった。だが、兄のいった通り、十日と経たないうちに、新たに八人が加わり、木下組は前より増えていた。銭さえ出せば、戦さ働きでもしたいという流れ者や浮浪人はいくらでもいるのだ。

去年に続く美濃攻めの失敗は、織田家中を消沈させた。兵数においてはるかに優った織田勢が、少数の斎藤勢に負けたことは、尾張兵の弱さと美濃侍の戦術的巧妙さを示すものであり、寡兵よく大敵を破った桶狭間合戦の誇りをいたく傷つけた。

だが、信長だけは、いたって意気軒昂だという。敗れたとはいえ、敵・斎藤勢が少数であったことに、彼は満足していた。悪魔のような天才性をもつこの男は、恐るべき新戦略を考え出していた。それは、銭で集めた傭兵団を使って間断なく敵地を侵し、やがて相手を防戦に倦《う》み疲れさせる、という方法だ。

美濃の農民兵は確かに強い。だが、そうそう戦さばかりはしておれない。農繁期には田畑を耕しに帰らねばならない。それに比べて織田の傭兵は戦さ専門、いつでも何度でも挑戦できる。これを使って「間断なき侵入」を繰り返すと、やがて相手方には不満があふれ動員令も通じなくなるだろう。それが、劣弱な傭兵団を作った信長のねらいだったのだ。

今度の合戦で、斎藤方の人数が少なかったのは、早くも動員力が衰えている証拠だ。織田信長は、敗戦の中でも美濃を手に入れる日の近いことを感じたであろう。だが、それにはなお、味方の方にも改めねばならない所が沢山ある。信長はまず、それを実行することにした。

四

織田信長が、まず感じたのは、「間断なき侵入」を繰り返すためには、「後顧の憂い」を完全に除かねばならぬ、ということだ。桶狭間の戦勝と松平（徳川）との同盟で、東からの脅威は薄れたが、なお尾張の中にも信長に服さぬ勢力がいる。いずれも大した力ではないが、いつも後備の兵を置かねばならないのが面倒だ。

「調略」

信長は、こうした地元の小集団にはまずこれで当った。戦国大名の常識である。

この頃から、兄・藤吉郎の不在はさらに多く、かつ長くなった。どうやらお城ばかりでなく、もっと遠くにも出掛けるらしい。

〈女狂いか……〉

最初は、小一郎もそんな常識的な推測をした。織田家に仕える以前、遠州松下家に奉公していた間に二度も女房に逃げられた兄は、そのコンプレックスからか、成長不良な身体に似合わず女好きだ。恋女房のねねを得たとて、この虫ばかりは、また頭をもたげたとて不思議ではない。

しかし、それはすぐ否定できた。出掛ける兄の服装が、いつもひどく地味なのだ。中村郷の実家を訪ねて来た時でさえも、妙に派手な柄物を着ていた男が、女通いにこんな服装で行くはずがない。それに第一、留守の日数が長い。二日、三日、時には数日帰って来ないこともある。これだけ家をあけ、組下を放り出していて何のお咎《とが》めもないのは、殿様かそれに代る最高首脳の命令だからに違いない。

〈兄者は何をしているのか……〉

それを知りたいと小一郎は思った。だが、兄の暗い表情には、それを訊ねかねるものがあった。

その答はやがて向うから来た。梅雨があける頃になると、兄の家を訪ねて来る客が増え出した。それも、前田犬千代とか、池田三左衛門とか、山内猪右衛門とかいった織田家の同僚ではない。行商人、高野聖、牢人風の侍、庄屋然としたふくよかな男、そんな得体の知れぬ連中である。

〈ははーん〉

小一郎はすぐぴんと来た。これが前に兄がいった「耳聡《みみさと》」だということが、である。つまり、組頭・木下藤吉郎は、織田家の情報官の機能を果しているのだ。

木下藤吉郎、のちの太閤秀吉のこの時期――つまり二十歳代後半期――の功名については、いろんなエピソードが伝えられている。例えば、かの有名な長短槍試合の話とか、西美濃陣中での盗賊逮捕とかがそれだ。下賤《げせん》の小人《こびと》から出発して十年ほどでひとかどの侍大将になったほどの藤吉郎だから、並はずれた働きをしたことは間違いないが、槍試合や盗賊逮捕は事実とは思えない。この男の体格と性格には適さぬ仕事だ。長槍採用はずっと早くに信長自身が決めたことは『信長公記』などでも明らかである。

信長の身辺での小まめな忠誠に続く藤吉郎の功名は、情報収集とそれを基礎とした調略活動であったろう。それは、のちの事実からも推測できる。

そういえば、あの長短槍試合のエピソードにも、後日譚《たん》がついている。試合の相手・上島主水《うわじまもんど》こそ、実は美濃の大名・斎藤龍興に味方する宇留間《うるま》城主・大沢次郎左衛門の弟・大沢主水であり、清洲城中に潜入したスパイであった、というのである。そしてさらに長短槍試合に敗れてのち、木下藤吉郎に温かく説かれて信長に忠勤するようになった、と講釈師は語る。

大沢次郎左衛門（基康《もとやす》）は実在の人物で、東美濃鵜沼《うぬま》の城主、しかもその子に大沢主水という名が記録されている。子が弟になっているが、この大沢主水がモデルであることは間違いない。この物語にも後に登場するように大沢父子は、藤吉郎と因縁のある人物だからだ。

また、西美濃陣中での盗賊逮捕の件も、それがただの盗人とは思えない。恐らく、敵方の諜者または調略使者であったろう。木下藤吉郎の手広い情報収集活動の中には、防諜機能もあったわけだ。この時代にはまだ、諜報機能と防諜機能とが分化していなかったのである。

情報・調略に活躍した木下藤吉郎は、その任務の一端を、「この人」、実弟の小一郎にも手伝わせたに違いない。情報・調略といった仕事には深い信頼関係と冷静な知能が必要だ。藤吉郎の初期の家来で、それほどに信頼できる知恵者は、実弟の「この人」以外にいないからである。

木下藤吉郎の情報・調略活動が最初に挙げた顕在的な成果は、「野武士」蜂須賀小六一党の懐柔である。

蜂須賀小六は、『絵本太閤記』やそれを基に作られた芝居などでは、野盗集団の頭目のように描かれている。だが、実際は、尾張北東部に蟠踞《ばんきょ》した地侍で、当時の武士の多くと変る所がない。勿論、放浪時代の少年・日吉丸が矢作《やはぎ》川の橋の上で、小六と出会ったなどというのは嘘である。秀吉の幼名が日吉丸だったわけでもないし、第一、その頃はまだ、矢作川に橋など架《かか》っていなかった。

ただ、この一党は、いずれの大名にも帰属せず、合戦の都度、勝ちそうな方に加わって槍働きをし、日当を稼ぐようなことをしていたらしい。その本拠が、美濃、尾張、三河の三国が境を接する辺地だったからだろう。それを藤吉郎が足繁く通って織田方につけ、自ら連絡《つなぎ》役となったのだ。

織田家のためには何十人かの戦力拡大であり、藤吉郎としては信長より預かった組下のほかに動かせる手勢を得たことになる。組頭程度の働きとしては身分不相応な大手柄だといえる。

「小六殿、小一郎めともなじんでやって下されや……」

髭面《ひげづら》の中年男を連れて来た兄は、そんないい方で弟を紹介した。この頃はまだ、小なりといえども地侍の頭である蜂須賀小六の方が、織田家の組頭よりも上位だった。それでも、藤吉郎がわが弟を紹介したことは、個人対個人ではなく、蜂須賀党と木下組の提携という図式を作る意図があったからに違いない。

蜂須賀小六正勝が正式に織田家に仕え、木下藤吉郎の組下に入るのは永禄八年（一五六五）。前記の鵜沼城主大沢父子を調略したあとのことだが、それ以前から両人の間には深い接触があった。このことは、当時の木下藤吉郎にとっては、「強い味方」を得たことになる。わが弟・小一郎に、辞を低くして小六と接するようにいったのも当然だろう。

とに角、この功によって兄・藤吉郎の格は上った。部下の足軽も増えたし、封給も一挙に四十貫になった。

「小一郎、お前に四貫目分けてやる」

兄は少々恩着せがましい態度でそういった。中村で百姓をしていた頃よりも少ない収入だったが独り者の小一郎には十分だ。

小一郎は、その四貫目の中から一貫目を中村の母と妹に贈った。だが、小一郎の九倍の実入りのあるはずの兄は、一度もそんなことをしなかった。それよりも兄は、上役に当る侍に付け届けをするのに忙しかったのだ。

「薄給の組頭が立派な侍に贈物などすることもあるまいに……」

小一郎はそんな疑問を感じたが、兄は、

「何事も将来のためよ、いずれはお前のためにもおっかあのためにもなる肥料《こやし》じゃに」

というばかりだ。一見、気前良さ気に振舞うのは、この兄の生涯変らぬ性分である。織田家の中で、調略の才があったのは木下藤吉郎だけではない。木下藤吉郎と同じく「流浪の将」である滝川一益もまた、その方で働いていた。

滝川一益は近江甲賀郡の生れといい、はじめは近江の六角氏に仕えたが、やがて織田信長の家来となった、と伝えられている。木下藤吉郎より十一歳も年長の滝川一益が、いつ頃信長に仕えたのかはっきりしないが、永禄五、六年の頃には藤吉郎よりずっと上位にあったことは確かだ。そしてこの男も、主を求めてさまよっただけに信長好みのやり手だった。つまり、なかなかの「目利き・耳聡」なのだ。

滝川一益がこの頃に挙げた調略の功は、尾張の南端・知多半島に巣喰う海賊衆を帰属させたことだ。知多半島はそれまで尾張の一部とはいえ今川氏の影響の強かった所だが、桶狭間のあとでは、流石《さすが》に雰囲気が変っていた。そこを衝いて、滝川一益は利と脅で巧みになびかせたのだ。

知多の海賊衆の調略は、尾・美・三の国境いに巣喰う地侍の小集団・蜂須賀党を抱き込んだことよりはるかに大きな収穫だった。だが、将来を思うと、その成果は何ともいえない。知多は行止りの岬なのに比べて、蜂須賀党の地盤は信長垂涎《すいぜん》の美濃に繋がっている。のちに木下藤吉郎は美濃から近江攻めの尖兵となり、滝川一益は伊勢・伊賀に向かうことになるのも、こんなことがきっかけとなったのかも知れない。

相似た経歴を持つこの二人は、以後長く織田家中のライバル同士として、共に出世街道を邁進《まいしん》するのである。

梢は高く、根は深く

一

「小一郎殿……小一郎殿はおわすか……」

戸口の外で、兄・藤吉郎の大声がした。永禄五年旧暦八月、秋口というのに暑い午後のことである。

「何じゃな……兄者」

午前中の見廻りを終えて一息入れていた小一郎は、戸口から出て叫び返した。のちに「日の本三大音」といわれる兄と違って、「この人」の声は丸く柔らかい。頬のこけた兄とは逆に豊頬の弟は何もかもが穏やかにできている。

「おお、いたか、いたか。よかった、よかった……」

兄は、小さな身体を躍らせるようにして入って来た。路を急いで来たらしく、肩に汗がにじみ、足は土に汚れている。だが、兄はそんなことには無頓着に部屋に上り、家の中をまず見廻した。無理矢理連れ出した弟に、この広目の長屋を宛てがうことができたのを、今更のように喜んでいる風でもある。

たった半年あまりの間に、小一郎の生活は随分と良くなった。頻繁なお城通いと目利《めき》き・耳聡《みみさと》に昼夜の別なく働いたことが認められ、兄は禄四十貫に加増されたばかりか、一層立派な住居に移った。垣根に囲まれた一戸建、前田犬千代、池田三左衛門、山内猪右衛門といった若侍たちが軒を連ねる侍町の中の一軒である。

「小一郎、あとはお前が住め」

兄は、移転に当って、それまで自分の住んでいた広目の長屋を小一郎に譲ってくれた。板張りの部屋二つにカマドのある土間、裏には専用の便所と馬小屋がついている組頭用の長屋である。母屋が三間四方の九坪だから中村郷の実家と同じぐらいの広さだ。それまで小一郎の居た足軽長屋に比べると三倍近い。お陰で小一郎も老婆一人を置くことができた。「この人」にとっては予想以上に早い出世だったに違いない。

「また、えらいこっちゃぞ。小一郎……」

汚れた足を袴にこすりつけるような格好で部屋の中央に胡座《あぐら》をかいた兄は、窪んだ目から鋭い視線を送りながらいい出した。例によって、二人だけになると小一郎の名から「殿」が消える。

「殿直々の御名指しでな、この藤吉郎にとてつもない大役が降って来たんじゃ」

「ふん、今度は何ぞな、兄者……」

小一郎は、興ざめた口調で問い返した。もう兄の話しぐせは分っている。いつも、

「殿直々の御名指しで……」

というが、その実、兄の方から強引に願い出て仕事を引き受けているのだ。

「普請奉行を仰せつかったのよ」

兄は半ば心配そうに、半ば誇らし気にいい出した。

「お城の石垣が崩れておるのを存じておろうが。あの修理普請の奉行をお命じ下されたんじゃ」

「何……あの石垣修理の奉行を、か……」

小一郎は驚いて叫んだ。

織田家の本拠、清洲城の石垣が、大手門の脇から角矢倉まで、三十間ほども崩れたのは先月はじめのことだ。勿論、信長は直ちにその修復工事にとりかかった。だが、一カ月以上経った今も、工事ははかばかしく進んでいない。折悪しく二度も大雨に祟られ、堀の増水で工事が妨げられたり、途中まで積み上げた石垣が崩れ落ちたりしたためだ。

こうした状態に信長が苛立っているのは小一郎にもよく分る。天才芸術家のような完全主義者である信長は、自分の居城の石垣が毀《こぼ》れたままになっているのに長く耐えられ

る男ではない。

〈確かに、あの石垣普請を短期日で仕上げたら、殿の覚えは目出度いだろう〉

とは、小一郎も思う。だが、その普請奉行を、今更兄に引き受けてもらいたくはない。あまりにも危険で、あまりにも摩擦の多い仕事だ。

工事が容易なものでない事は、今までの様子からも分る。それを、普請の経験などまるでない兄や自分が監督して巧くやれるかどうか、大いに疑わしい。万一、これまで同様遅々とした進行なら信長の怒りを買うことは確実である。そんな時の信長の怒り方は、常軌を逸するほどに凄まじい。

殊に遠慮の要らぬ猿めが相手とあれば、格下げ、追放ぐらいはいいつけるだろう。

〈何とか、お断りできないのか……〉

小一郎はそういいたかった。だが、兄はその間も与えず、大声でしゃべり出した。

「この忙しい時に、二カ月も三カ月も石垣が崩れたままではいかんわい。わが織田家の力が疑われ、世のあなどりを受けんとも限らん。あと半月で仕上げよ。信長様はそう申されてな、この猿めを、いや木下藤吉郎を奉行に御名指し下されたのじゃ……」

「半月……」

小一郎は、唇を嚙んだ。いよいよ難しい話だ。これまでの約四十日間で、準備的な仕事はほぼ終っている。工事の妨げとなる堀の水は抜けた。石材や補助養生用の木材・土のうの類も一応そろっている。人数も二百人ほどが城下や近在の村々から集められ、その寝泊りする小屋掛けも終った。あとは一気に土を盛り石を積めばよい所まで来ている。それに、台風の来る節季も過ぎた。石垣普請を一挙に進めるには好条件がそろっている。

だが、完成まで半月というのはいかにも厳しい。その間には、雨の日もあるだろうし、病人・怪我人も出るだろう。石材や補強材の不足もあるかもしれない。日数を重ねれば農作業のために村に帰る脱《ぬ》け人《にん》も出るのは避け難い。稲刈りの時期ももうすぐだ。そんなことまで考えると、とても自信が持てない。だが、兄は胸を反らせて、

「いや、小一郎。半月やないぞ」

と、続けた。

「信長様が半月と申されたなら、それよりも早ようやらんといかん。十日、いや七日で仕上げる。そうでのうては木下藤吉郎を御名指し下された殿の御意向にお応えすることにはならんわ」

「そんな、無理なことを……」

小一郎は、腹立たしくうめいた。この兄の言葉から、殿中で交された会話の総てが「この人」にはまざまざと想定できる。

恐らく信長は、石垣修理の進まぬのに業を煮やして、奉行に当っている老人やその補佐を務めている侍大将たちを叱りつけたのだろう。当然、奉行らは天候のことや石材、

人夫の不足を並べていい訳したに違いない。尾張平野は石が乏しいし、夏の間は人手が集り難い。

しかし、信長はそんないい訳に耳を貸さない。人間を機能的に見るこの若殿は、目的完遂のためには手段を選ばぬ苛烈さを持っている。奉行たちは恐れ入って、あと一月のうちには必ず、とかなんとかいったであろう。それに対して信長は、

「何を悠長なことをぬかす。半月で仕上げい」

と怒鳴る。家臣に対して常に無理な目標を与えて駆り立てるのが信長式のやり方なのだ。

「何とか考えてみますが……」

奉行たちの口からは自信のない返事が出た。その時、末座にいた兄が、いつもの厚かましさで進み出て、

「某《それがし》ならば十日間で必ず仕上げてみせまする」

と、申し出たに違いない。それぐらいのことをしかねない兄であり、それほどいわねばここまで来て普請の奉行を横取りできるはずがない。だからこそ兄は、七日で仕上げようと足搔《あが》いているのだ。

「いや、無理やない」

兄は、鋭くいった。怖い顔付きになっている。主君・信長の気質を知り抜いている兄

は、自らにより困難な義務を課して、自分を奮い立たせるのだ。

「もし、できなんだら……」

小一郎は、心配気に問い返した。

「できる、必ずできる。俺に、秘策がある」

兄は、腰を浮かして叫んだ。事をなすには、できるという自信が何より大事だ、というのが兄の信念だ。

「秘策とは……」

小一郎は、それを問うた。

「割普請よ」

兄は、皺深い顔を突き付けていった。

「石工《いしく》の頭が二十人おる。これに石工三人、土工五人、手伝い七人ずつをつければ、五日のうちに幅一間半の石垣を積み上げるのは難しくはない。俺は、何人もの頭どもに会うて確かめてある。できた組には褒美を出し、できぬ組は罰を与えることにすれば、みな懸命に働きおるじゃろう」

兄は、秘策の内容をとうとうと弁じた。兄は、ただの大口を叩いたのではなく、前もって調査し、解決案を考えていたのである。事前調査の周到さは、この兄の生来の長所だ。

「なるほど……」

小一郎は、うなずいた。兄の雄弁を聞いていると、何となくそれができるような気がして来る。奇妙な説得力が、この小柄な兄にはある。自らを窮地に置いた必死さ、自己催眠にかかったような自信、なり振りかまわぬやり方、そんなことが、異様なまでの迫力を作るのかも知れない。

しかし、兄が立ち去ると同時に、小一郎はまた心配になった。「割普請」のアイデアはよいが、その実施には困難が多い。それ以上に気遣われるのは、出過ぎた兄に対する家中の反撥であった。

二

「さ、まあ飲め。みな今夜は存分に楽しんでくれ……」

隣の席から、兄・藤吉郎の声が絶え間なく響いて来る。目の前には酒肴を載せた膳があり、周囲には三十人近い男たちの騒ぎ声と汗臭い臭いがある。

石垣修理普請の奉行となった兄は、早速、自宅に石工の頭と木下組の主だった者を集めて酒宴を開いた。仕事をはじめる前に酒盛りで景気付けをするのは兄の常套手段だ。

「五日で仕事を終えても十日分のお手当てを下さるとは有難いのお……」

石工頭の一人、初老の男がそんなことをいっている。

「いやさ、その上に一番乗りで完工すりゃあ米三俵の御褒美じゃと。こらあ頑張らにゃならんねえ」

髭面の中年男がそう叫ぶ。

「うんな、五番以内で一俵、十番までなら銭百文、まあこのうちの半分は御褒美にありつけるわけにゃ」

若い男が相槌を打っている。

「なんと豪勢な話よのお、こんなことははじめてじゃ」

そういう声もする。

「そうじゃ、そうじゃ。豪勢じゃぞ。織田家の蔵にゃ、米も銭もうだっておるでな。まあ、今夜は飲め。仕事は明日からじゃ。遠慮せんと飲め。酒は何ぼでもあるぞ」

兄がまた大声で叫び、手を打ち鳴らした。

「酒じゃ、酒を持って来い。もっとじゃ、もっとじゃ……」

兄の叫びに応じて、三、四人の女がとっくりを載せた盆を持って入って来た。その中には、去年結婚した兄の嫁、ねねもいた。こんな酒宴の裏方としても、足軽、小者の世話でも、骨惜しみすることのないよき妻である。

「おお、ねね様か、みな、我が別嬪《べっぴん》の奥方手ずからの御接待ぞ。心して飲め……」

兄はそういって、自ら大声で笑った。一座の者も、それにつられて、訳もなく爆笑した。兄は、こういう場での座持ちも巧《うま》い。

だが、小一郎は笑わなかった。何とか笑顔を作っていたものの、内心はむしろ憂鬱だった。明日からの地獄のような多忙さとその結果の危険を思うと、身が震え息が苦しい。

小一郎の頭の中には、兄が薪奉行としてやったことが思い出されて来た。この割普請と同じ着想だったからである。

兄・藤吉郎は今年のはじめ、やはり自ら求めて薪奉行になった。この時も兄は、

「この猿めを薪奉行にして下されば、三カ月以内に薪代を半分にして御覧に入れます」

と、信長に申し出て、その役についたのだ。

城内で使用する薪は総て「官給品」であるため、飯炊き湯沸しの小人《こびと》や下女は、存分に使い大量に無駄にしていた。余計な火も燃やせば、沸き過ぎるほどに湯も沸かす。しかも、一旦火の付いた薪は、用が済んでも消そうとしない。たとえ消しても二度とは使わない。一度水をかけて消した薪は使い難い。それより新しい薪をくべた方が楽なのだ。かつて、小人として働いたことのある兄は、そんなことをよく知っていて、「半分で済む」と考えたのだ。

薪奉行になった兄は、薪を使う場所ごとに火消し壺を配り、用が済めばすぐ火を消すようにいい付けた。そして自ら城内を朝晩駆け廻って、無用の火を消すように、また燃

えかすの薪が捨てられていないように監視した。

これによって、確かに薪の使用量は減った。だが、兄が信長に約束した半分には到底ならなかった。その上、この小うるさいやり方は、小人や下女たちの反感を買い、湯がぬるかったとか、飯が半煮えだったとかいう事件が続発した。小人や下女が、うるさい薪奉行に当て付けて、サボタージュをやらかしたのだ。

だが、兄は実に巧妙な方法でそれを解決した。翌月になると、兄は「薪節約競争」というべきものをもはじめた。十日ごとの勘定で、前に比べて使用量の減った所には銭、酒を与えたのである。勿論、これには湯がぬるかったり、飯が煮え切っていなかったりした場合は褒美を取り止めるという罰則もつけたから、サボタージュもせず、無駄もなくなった。各炉をあずかる者が競争で無駄火を消し、燃え残りの薪を使うようになった。

この結果、四カ月目には薪柴の使用量は大幅に減り、小人や下女に与える褒美代を加えても、織田家の薪代支出は半分ほどになった。豪気の反面、実に緻密な経済感覚の持ち主である信長は、これを大いに喜び、兄は面目を施した。

だが、その裏では、別のトラブルが起っていた。各炉をあずかる者共の間で、薪を盗まれたとか盗んだとかいう喧嘩が急増し出したのだ。これには、兄も手を焼いた。そしてその尻を小一郎に持って来た。

「小一郎や、小人や下女の喧嘩はお前が仲裁してくれ」

というのである。

小一郎も困った。結局、割り当てた薪に炭や紅がらで印をつけることで解決したが、互いの反目は消えることはなかった。

幸い、このいやらしい仕事は長くはなかった。六月になると、兄は薪奉行を辞めたからだ。

「お約束通り薪代を半分にいたしましたので、手前はもう用済みでございます。猿めはまた他でお役に立ちとうございますれば……」

とかなんとかいって、巧く逃げたらしい。兄は、仕事を取るのも上手だが、逃げ出すのも巧みなのだ。

「兄者のあとを引き受けた薪奉行はお気の毒じゃな……」

小一郎は、そんな皮肉をいってみた。だが兄は、

「人には、運・不運があるものよ」

と、笑っただけだった。

〈今度の普請も同じやり方やなあ……〉

小一郎は、酒にほだされて威勢づいている石工の頭たちを見て、そう思った。

石垣の決壊個所、約三十間を二十に分け、各組に一間半ずつを分担させる割普請は、薪を各炉ごとに分け与えたのと同じやり方だ。早くできた組には十日分の日当を支払い、

一番から十番までには褒美を与えるとなれば、各人とも功利心に煽られ競争で働くことだろう。これは、今までのように、見張りを立てて鞭《むち》と怒声で追いたてるよりもはるかに効果的に違いない。

だが、それにも欠点がある。各組が勝手にやるので、組間の協調が欠け、トラブルも生じ易い。特に石垣工事のような連続した仕事ではいよいよ難しい。

割普請は別に藤吉郎の新発見ではない。どこでもよく見られるやり方だ。それを、これまでの奉行が採用しなかったのはこのために違いない。

〈そこをどう解決すればよいのか……〉

それを思うと小一郎は、笑いもできねば酒ものどを通らない。陽気に騒いでいられる兄が、うらやましくもあれば不思議でもある。

「みなのもの、よう聞け……」

突然、兄が立ち上って叫んだ。

「割普請というても、事はお城の石垣じゃ。全部が一面、つながっておる。それぞれの組の接《つ》ぎ目が大事じゃぞ、接ぎ目が……。そこに不出来があれば、必ずやり直させるからそう思え。各組の間は一尺ずつ重ねて割り当てる。早く進む組は、外側の線まで石を積め。割り当ては九尺ではない、十尺幅と思え」

〈なるほど……〉

それを聞いて小一郎はうなずいた。兄は、割普請のアイデアだけではなく、その実施についても相当に考えているらしい。恐らく、ここに居る石工頭の誰かを懐柔して、何日も前からそのやり方を聞き学んでいたのだろう。

「石、木、土のうは明日、各組に分け与える。あとで足らぬ少ないということのないよう、石工、土工を連れて来てよう見ておけ。飯は木下組で炊き出してやる。飯も汁も存分に与えるから安心せえ。お前らはただひたすらに土を固め石を積めばよいのじゃ。余計なことに暇をかけぬように心掛けい」

「そりゃあ有難い……」

という囁きがいくつか出た。土木工事の場合、石工や土工が飯炊きに意外と暇をつぶすものだ。炊飯を口実に怠ける者も多い。兄はそれを、別に給食班を作ることでなくすつもりだ。いわば分業システムの徹底である。

〈いい考えだ〉

と、小一郎も思った。だが、兄の次の言葉で悪い予感が的中した。

「もとより喧嘩は御法度、必ず両成敗にするからそう思え。不平不満のある時は、まずこの小一郎殿に申し立てよ。勝手にいい争うてはならんぞ。みな小一郎殿の裁きには絶対に従えよ。さもなくば斬り捨てることもあると覚悟せえ……」

座はしゅんとし、二十人の石工頭の目が一斉に小一郎に注がれた。兄はやっぱり、最後の尻を小一郎にもって来たのである。

「小一郎、何ぞ、いうことはあるかな……」

短い演説を終えた兄は、座り直すと顔を寄せて来て低く囁いた。

〈何を今更……〉

小一郎は、そんな気もしないではない。だが敢えて苦情をいいはしなかった。こういう仕事を丹念にしてやるのが、補佐役としての自分の務めだと心得ていたからである。ちょうど一年前、あの足軽長屋で両手をついて涙ぐんだ兄の頼みが断れなかった時に、勝負はついているのだ、と「この人」は思った。

「いや、別にない……」

小一郎はそういいかけた言葉を、途中で呑み込んだ。そして、

「一つ、ある」

と囁いた。

「一つ……そら、何ぞな……」

兄は、ニヤリとして問い返した。

「兄者は、これができたら、自分だけの手柄にするつもりか……」

小一郎は低い声で呟いた。

「いいや、こりゃあ木下組みんなの……」

といいかけた兄の言葉を遮って、小一郎は兄の耳元に囁いた。

「木下組だけのか……。それではねたまれるな……」

「ふーん……」

兄はうめき、人前もはばからず深々と頭を下げて、上目遣いに小一郎を見上げた。真剣な、恐ろしく真剣な顔付きになっていた。

「偉い人を上にかつぐんやな、総奉行とかなんとかいう名目で……」

「うーん、なるほど……」

兄は一瞬、恐ろしい表情で小一郎を睨みつけた。だが、この数秒の間に総てを悟り、読み、計算したらしい。

「流石じゃ、小一郎殿。よう分った。有難いお教えじゃわい……」

そういった時にはもう、兄の顔はいつもの陽気さで笑っていた。

分ると兄は素早い。事情を知って決断を遅らせることはなく、決断して行動しないこともない。その点ばかりは、小一郎にも真似ができない。

「小一郎、座持ちを頼むぞ……」

兄はそういい残すと跳び出していった。そして、小半刻(一時間弱)後に戻って来た時には、前にも増して楽し気になっていた。

三

翌朝から風変りな仕事がはじまった。木下組の足軽たちが竹棹と縄を持って駆け廻り、石垣工事の場所を幅九尺ずつに区切り出した。石垣の崩れた所に棒ぐいを立て、縄を垂らして九尺の幅を示す。その一尺横にはもう一本、赤く染めた縄が垂れる。白縄と赤縄の間一尺が両側の組の接ぎ目、つまり双方共同責任範囲というわけだ。

一方では、人夫たちが石を二十に分けて積んでいる。材木も土のうも分けられる。各組の頭が真剣な顔でそれを見守っている。みな形のいい石を集めようと懸命なのだ。今日一日の材料割当で褒美がもらえるかどうかが左右されると思っているからだ。生活水準と労働賃金の低いこの当時では、米三俵の一等賞は石工半年の所得に匹敵する。

工事現場の中心には、これ見よがしに豪勢な給食施設が設けられている。積み上げられた二十俵の米俵から惜しげもなく米を出し、いくつもの大釜で炊いている。汁釜の味噌は濃く、香の物と乾し魚まで山積みになっている。二百人の人間が工事予定期間の七日間で喰い切れぬほどの量だ。これまでの普請には見られぬ贅沢な食事が存分に用意されているのだ。

それもそのはず、新任普請奉行の木下藤吉郎は、殿様の信長から十五日分の日当と食糧とを頂いていたのである。

だが、何よりもこの工事現場を見た人々が驚いたのは、そこに×印の旗立て物が立ち並んでいたことだろう。×印の旗は、尾張織田家では知らぬ者とてない。若殿・信長様のお気に入りの重臣、丹羽長秀の紋所である。この奇妙な割普請の総奉行に、丹羽長秀が就任したのだ。

小一郎は、このことを痛く喜んだ。兄・藤吉郎が自分の示唆を実行してくれたことにも、丹羽長秀を選んだ兄の選択にも。

昨日の夕方、石工頭との酒盛りを中座した兄は、信長のもとに駆け登ったのだ。

「今朝ほどは、身の程もわきまえぬ大口を叩いてしもうて申しわけござりませぬ。あの石垣普請をわが一手にて奉行するのは荷が重うござります。石工、人夫の差配だけならこの猿めは粉骨砕身、必ずやり遂げまするが、木石を近在四隣より集め、水道《みずみち》を変えるとなると、実力、人望兼ね備えた年寄衆をお一人、総奉行に頂きとうござります」

兄は、いつものなり振りかまわぬ低頭振りで、仔猫が主人にざれつくように、信長に哀願したに違いない。人を道具として機能的に見る信長は、石垣修理が早く安くできるとなれば、この程度のことを厭《いと》いはしない。

「して、猿。汝《われ》の欲しい年寄とは誰ぞ……」

信長は鷹揚《おうよう》にそう問い返したであろう。そして、「丹羽長秀」という名を聞いて総てを悟ったはずだ。

丹羽長秀は、忠実で勇敢な男だ。だが、この男の忠実と勇敢は、気丈夫や大胆のせいではない。大部分の日本人がそうであるように、むしろ気弱と小心によるものだ。長秀は終生、信長の強烈な個性に圧倒され、脅え恐れるが故に忠実であり勇敢でもあった。

藤吉郎は、この時既に、それを知って、丹羽長秀の名を出したのであり、その事に信長もまた気が付いていた。丹羽長秀が機智に富んだ男でないことを、信長ほどの者が知らぬはずがない。

丹羽長秀を総奉行に頂いたからといって、藤吉郎の功名が減るわけではない。余人はとも角、信長の評価は変らない。この際は、それで十分だ。だが一方、それがもたらした効果の方は、実に絶大であった。殿のお気に入りの重臣の旗が工事現場に立ち並んだだけで、この奇妙に派手な普請を妨害する者はいなくなった。とにも角にも、約束の十日間はみな傍観するほかはないだろう。

このことが、石垣工事そのものに利したことはいうまでもない。周到な準備と功利心にあおられた頭や人夫たちの熱心さのお陰で、予定以上の速度で土が盛られ石が積まれ、七日目の夜には早くもおおよその形ができ上っていた。

それでも、この間のトラブルは少なくなかった。予想通り、各組間の接ぎ目は紛争の種になった。石がうまく咬み合っていない個所がいくつか出た。藤吉郎は、見せしめのためにそのうちの一つを取り崩して積み直させた。それによって、三日目には問題が出なくなった。取り崩して積み直す手間を誰もが恐れたからである。

小一郎の方に持ち込まれた問題は、それよりもはるかに面倒だった。たった七日の間に二十組の石工頭から延《の》べ三十回もの訴えが来た。石や木の奪い合いもあったし、隣接同士が残土のかけ合いといった争いもあった。隣の組の石が落ちて怪我をしたという不幸な事件も二度ほど発生した。

その都度、小一郎は現場に駆け付け速《すみ》やかに解決した。彼は、これまで足軽同士の喧嘩や小人たちの薪とり争いを裁いて来た経験から、ほとんど総ての問題に通用する仲裁の特殊技能が身に付いていた。一方の顔を立て、いい分を通す時には、他方に銭を与えて実利を取らせるのである。材料の奪い合いで不利になった組には多目に夜なべ手当を与えた。残土処理を引き受けた組にも余分の飯、酒を与えた。それでも裁き切れない時には組の足軽やその女房たちに銭を支払って手伝わせた。怪我人には当人が驚くほどの手当を持たせた。そのため、負傷を恐れず働く者も多かった。

「この人」は、この際「時を銭で買う」ことにしたのである。

こうした巧みな体制と努力の結果、この普請は予定より早く、八日目の夜には完成した。このため、人夫たちに十日分の日当を与え、褒美をばら撒き、存分に飯を喰わせ、トラブルの解消にもかなりの銭を費やしたにもかかわらず、信長より預かった十五日分の銭・米はかなり残すことができた。兄はその三割ほどを木下組の足軽たちに分け与えた。小一郎にも銭三百文ほどをくれた。「この人」の働きの割にはひどく少ない報酬であったが、小一郎はそれに十分満足をした。兄が密かに何貫かの銭を丹羽長秀の屋敷に運び届けたことを知っていたからである。

しかし、これですべてが目出たく終ったわけではなかったのだ……。

四

「小一郎殿……」

長屋の後ろで、陰気な呼び声がしたのは、石垣普請が終った翌日、日暮れたあとのことだ。

「誰ぞな、今頃……」

そう呟きながら障子を開いた小一郎の目に、人目をはばかるようにうずくまっている丑造の大きな姿が映った。木下組の古参、新入りたちの訓練を指導する鬼上等兵役を務める男だ。

「小一郎殿は何とも思わんかにゃあ、今度のことを」

裏縁から、のっそりと入って来た丑造は、あたりを一わたり見廻した上で、そう囁いた。大きな身体の割に神経質そうな甲高い声を出す。

「何のことや」

小一郎は、小首をかしげて問い返した。

「あの普請で銭十貫近くも残ったはずじゃがにゃあ。人夫にやった褒美を引いても……」

丑造はそういうと、膝をにじらせて来て続けた。

「ああ巧く行ったのも、半分までは小一郎殿の働きや。それなのに、銭三百文きりとはにゃあ……」

丑造は、そういうと、無精髭に汚れた頬を歪めて、ジロリと小一郎を見た。丑造にも、兄は小一郎と同様、銭三百文を与えたはずだが、それでは不満なのか、小一郎を兄に楯《たて》突《つ》かせようと唆《そそのか》しに来たのだ。

「あんたがやるなら俺も応援してやるでな」

といいたい内心が、黄色い横目ににじんでいる。戦国乱世のこの時代、大は大なり小は小なりに兄弟間の喧嘩や地位争いは盛んなのだ。

「ははは、何かと思えばそのことか」

咄嗟《とっさ》に丑造の意図を見抜いた小一郎は、わざと派手に笑って見せた。

「いやあ、参ったわい、丑殿の眼力には。実はな、丹羽様から別に頂いた銭一貫目を頭から俺が預かっておる。今度出陣前の宴にでも使おうと思うていたが、丑殿に見破られたとあればいたし方ない。三百文は分けてやるで、他には黙っていてくれんかな」

小一郎の口からは、自分でも驚くほどにすらすらと、そんな作り話が流れ出た。

「何、丹羽様から一貫目を頂いた……、俺にもう三百文くれるとな」

丑造は意外な話に驚き「そんなつもりでは」とかうめきながらも嬉しそうに頭を下げた。その笑顔を見ながらも小一郎は、

「こいつ、いずれは追い出さねばなるまい」

と考えていた。補佐役たるもの、主役の出世を喜び、主役の出世でこそ出世し得るものだと心得ていたからだ。「この人」には、主役たる兄・藤吉郎の評判こそが大切だった。それに比べると、三百文が三貫目であろうと、大した問題ではない。それ故、「この人」は、こんな事件のあったことを、兄には語らなかった。二日ほどのち、兄が、

「どうじゃな、小一郎。わしのいうた通りやれば何でもできるじゃろうが……」

と鼻をうごめかしていった時にも、小一郎はただ、

「梢が高こう茂れば根も深こう拡がらにゃなるまい」

と、呟いただけだった。

実際、木下藤吉郎が高く茂り出したことに対する織田家中の地の声は厳しかった。この時の石垣普請に対しても、やがて酷評が流された。

「猿めは人夫共を甘やかし、給金を釣り上げおった。あとがやり難くてかなわん」

というのだ。しかし、幸いにもこれを表立てて問題にする者はいなかった。抜け目のない兄は、完工と同時に、

「みな丹羽様のお知恵じゃ……」

と、殿お気に入りの重役に花を持たせていたからだ。しかも、それを補強するかのように、木下組では足軽の端々まで丹羽長秀には格別の敬意を払っているという噂も流れた。あの夜、小一郎が咄嗟の思い付きで丑造に語った作り話が意外な効果を生んだのだ。

しかも、これらのことが、のちにははるかに大きな利益をこの兄弟にもたらすことにもなる。忠実小心な織田家の重役は、終始木下藤吉郎のよき支援者となり、やがてこの下僚に天下を取らす役廻りを務めるのである。

五

「猿は、いや木下殿は来ておらんか、木下殿は……」

口々にそう叫びながら、侍たちが小一郎の長屋に入り込んで来た。前田犬千代、山内猪右衛門、池田三左衛門、それに兄嫁の実兄・木下孫兵衛やその義弟の浅野長吉までが興奮した表情で付いている。永禄六年（一五六三）の梅雨が明けた六月のことだ。

「はあ、今朝から出かけておりまするが……」

慌てて土間に降りた小一郎は、主人の兄より身分の高い若侍たちの群に深々と頭を下げた。

「チッ、こんな肝心な時におらぬとは、猿めらしくもないことよ」

そういって舌打ちしたのは前田犬千代だ。尾張海部郡の土豪・前田利春の子だが、四男坊なので禄は五十貫に過ぎない。四年前に信長お気に入りの茶坊主・十阿弥なるものを斬り殺して出奔したが、翌年の桶狭間には許されぬままに参陣、そのあとでやっと帰参が許されたという荒々しい経歴の持ち主だ。兄はこの犬千代と親しく、今の住まいも隣同士である。

「藤吉郎殿を見たらいうてくれ。猿殿は恋女房のねね様と別れ別れになってもええのか、とな」

前田犬千代はそういうと、みなを誘って出かかった。

「そ、それはどういう意味でございましょ、前田様」

小一郎は慌てて問い返した。

「知れたことよ。二の宮の山ん中に御城を移されたんではねね様を連れては行けまいが……」

犬千代は捨てぜりふのようにそう怒鳴ると、後も振り返らずに出て行った。どうやら信長が、本拠をこの清洲からはるか北の二の宮の山中に移すといい出したらしい。前田らはそれに反対する運動を起そうとして仲間を募っているのだろう。

「なるほど……」

あとに残った小一郎は、独りうなずいていた。これで、今朝からの兄の行動も分るというものだ。兄は、昨夜遅く帰り、今朝また早く出かけた。それもわざわざ小一郎の所に立ち寄って、

「誰が来ても、わしは出かけた、行先も帰りも分らんというておけ」

と断ってのことだ。耳聡い兄は、早々と信長の意向を知り、いずれこの騒ぎになることを察して身を隠したのだ。信長の意に逆らいたくもないし、仲間の誘いを断るのも角が立つと見てのことに違いない。

この前年（永禄五年）、尾張の中の小集団を手なずけた信長は、十月末に至って尾張国内で服せぬ唯一の勢力となった岩倉城の織田信賢を攻め陥した。

織田信賢は、尾張の守護代織田家のうち、上四郡を治めていた織田伊勢守家の当主だ。信長の家は下四郡を支配していた織田大和守家の家老の一人から出ている。姓がみな織田だからややこしいが、血縁ではない。岩倉城の信賢から見ると、信長の家は「分家の家来」ぐらいに当るわけだ。信賢が最後まで信長に服さなかったのは、そんな気位のせいかも知れない。

だが、実力の上では、今川義元を討ち取って天下に勇名を轟かした信長の敵ではなかった。この岩倉城攻めには、勿論木下組も加わったが、戦さというほどのこともなく、昨年十一月一日には早くも岩倉城は陥落した。信長の大軍を見た信賢勢は全く戦意を失ってしまったのだ。

ようやく尾張一国を統一した信長は翌永禄六年三月二日、三河岡崎の松平元康（のちの徳川家康）との間に婚姻を約した。信長の娘・五徳姫を元康の長男・信康に嫁がせるというものだ。実際の結婚はまだ先だが、とに角これで両家の同盟は強化され、織田家にとって東からの脅威はなくなった。が、同時に、織田家が東に攻めることも閉されたといえる。

「いよいよ美濃じゃ」

去年、美濃境の土豪・蜂須賀小六一党を調略して、東美濃に足掛りを作っていた兄・藤吉郎は雀躍《こおど》りして喜んだものだ。

果して信長は、この年の春、斎藤氏の本拠、稲葉山城（のちの岐阜城）を目指して、木曾川を越えた。信長は例によって田植前の農民兵の多忙な時期を選んで美濃に侵攻、稲葉山城下まで迫った。しかし、稲葉山城は天下の要害、数日滞陣するうちに長井隼人佑らの美濃方援軍が駆けつけ、何ら得るところなく撃退されてしまった。三年連続の敗退である。

「力攻めでは無理だ」

そう考えた信長は、劣弱ながらも戦さ専業の傭兵集団を使って「間断なく侵掠する」戦略をいよいよ強化する決意を固めた。だが、それには清洲からでは遠過ぎる。美濃に常時圧力を加え、農業兼業の美濃侍をくたびれさせるには、北尾張に本拠を進めるに限る。合理主義者の信長はそんな結論に達した。

一見、至極当り前の発想のようだが、当時としては実に革命的な考えだ。もともと土地の豪族地主から発展したこの時代の大名たちは、自らの領地から離れられるものではない。その土地を離れることは、単なる移住ではなく、部下の農民兵からも切り離されてしまうからだ。武田信玄や上杉謙信が、領地を拡大したあとも不便な本拠地から動けなかったのもこのためだ。

それを信長は敢えてしようというのだ。しかも、そのいい出し方がまた素っ頓狂だった。つい三日ほど前、北尾張を巡視したついでに二の宮の山に登り、突然、

「ここに城を移す。清洲を引き払ろうてみな移れ」

といい出したのだ。二の宮は北尾張の中でも山がちな狭い場所である。移住だけでも驚きなのに、その行く先が狭い山間と聞いては、広々とした清洲に住み慣れた家中は天地がひっくり返るほどに慌てふためいたのも無理はない。

「二の宮の谷なんかに住めるか」

「あんな所に屋敷を建てられるもんか。家中がみんな住める場所もあるまい」

「女、子供は出歩きもできんぞ。出るにも入るにも山道を半里は歩かにゃならぬわ」

たちまちにして清洲城下にはそんな騒ぎが巻き起った。前田犬千代が、

「猿殿は恋女房のねね様と別れ別れになってもよいのか」

といったのも、そこから来た言葉だった。

「信長様ともあろう方が何でまた二の宮の山中などに……」

流石に小一郎も小首をかしげた。信長は活発な殿様で通っており、およそ山城に立て籠るなど似つかわしくはない発想だ。

「これはやっぱり、兄者にも反対してもらわねば……」

小一郎もそう思った。

ところが、その日の夜遅く、こっそりと戻ってきた兄・藤吉郎は、

「いやいや、信長様には深い思いがおありじゃ。騒ぐではない。みな同じになるでな」

と、暗く鋭い表情で呟いただけだった。兄がこういう顔になる時には、他人にいえない下心のある証だ。

木下藤吉郎の予想は当った。数日後、信長は家中一同の猛反対を受け入れた格好で、

「みながそこまで申すなら二の宮は止めて小牧にいたそう。小牧なら美濃にも近く土地

も広い。みな異存はあるまい」

といい出した。二の宮の土地の狭さと不便さを強調していた反対者は、今更、

「便利で広い所でも本拠は移せぬ」

ともいえず、不承不承うなずいた。

勿論、信長は最初から二の宮の山中などに本城を移す気はなかった。だが、最初から「小牧に移転」といえば家中が反対することを見越して、よりみなの嫌う二の宮を挙げ、妥協した形をとって「小牧移転」を承知させたのである。この話は『信長公記』の中でも、

「奇特なる御巧」

と表現している。戦国大名のほとんどが、たとえ不便でも本拠地から動けなかったのに、織田信長だけが、岐阜に、安土にと本拠を移し、天下取りに先駆けたはじまりは、実にこの小牧移転の成功にある。

しかも、小牧移住によって織田の家中はみな、それぞれの地盤のある下尾張からはるかに遠く離れることになり、「兵農分離」が決定的に徹底された。このことはまた、織田家における信長の指導力を飛躍的に高めることにもなった。

最早信長は、土豪連合の長ではなく、完全な尾張一国の領主、いわば「小さな独裁君主」となったのである。

そしてそのことは、「織田家累代の重役」の家柄を誇った土豪出の旧臣たちの比重を低下させ、木下藤吉郎や滝川一益のようなもともと地盤を持たぬ傭兵隊長の地位を引き上げもした。遠く離れた下尾張から部下を呼ばねばならぬ旧臣よりも、長屋住まいの足軽を大量に抱える傭兵隊長の方がはるかに役立ったからだ。

「なるほど、兄者の見ていたのはこれであったか……」

小一郎は、改めて兄・藤吉郎の見通しの良さに驚いた。そして静かに、この新しい土地に深く根を張る努力を重ねた。

状況は、また一つ、この兄弟に有利になっていたのである。

試練、そして出世への道

一

「く、くだされたわ、小一郎。信長様が、信長様が……わしにくだされたのよ……」

駆けつけて来た小一郎の顔を見るなり、兄の藤吉郎が息をはずませてそう叫んだ。極度に興奮しているらしく、声も手足もわなわなと震えている。永禄七年（一五六四）正月早々のことだ。

「な、なにを、くだされたんや……」

小一郎も、驚きどもった。芝居がかった大袈裟なポーズの好きな兄だが、今日の様子はまた格別だ。兄と共に、侍勤めをするようになって二年あまり経つが、兄がこれほどに震え高ぶっているのを見るのは流石にはじめてだ。

「こ、これや、これをくだされたのよ」

兄は、小一郎を奥座敷に連れ込んで床の間の方を指差した。小牧山に築かれた新しい城下の屋敷のことゝて、兄の住まいも実に簡素、その白木造りの床の間に、三方に載せた書状らしき紙がある。殿様の信長が下されたお墨付きであろう。

「何と書いたるんや……」

小一郎は床の間に近づき三方に手を伸ばそうとした。途端に、

「小一郎、恐れおおいことをすんな……」

という兄の大声が飛んだ。兄は床の前に正座して深々と頭を下げているのである。

〈何をしておる……〉

小一郎は、思わず失笑しそうになった。

のちの江戸時代と違い、戦国乱世真最中の永禄年間には、君臣の差はそれほど大きくない。大名といえども大抵は土地の豪族が成上ったものであり、家臣もまた中小の豪族や独立した地侍だ。一代前、いやつい何年か前までは同等同格と思っていた君と臣も多い。いわば、大名を有力豪族の組合長ぐらいに考える中世的な雰囲気がかなり残っている。尾張のような比較的進んだ地域、特に信長という途方もない専制主義者を頂く織田家では、そうした感触は薄れているが、儒教的君臣関係の普及した江戸時代とは大いに違う。もちろん、君主に対する礼儀作法なども確立しておらず、大名を怒鳴りつける家老もいれば、御前で取っ組み合いをする猛者もいる。永禄はまだ、荒々しく野性の激動

する時代なのだ。そんな中で、殿様が書き下さったというだけで、紙切れに平身叩頭《こうとう》する兄の姿は異常である。

〈ま、ええ。これが兄者の偉い所だ……〉

小一郎はそう思って、あと退《ずさ》りして兄の斜め後ろから床に頭を下げた。こんな小さな動作も、どういう加減で信長の耳に入らないとも限らない。過剰な尊敬振りを示しておいても損をすることはない。

「小一郎、心して見よ……」

長いお辞儀の末、膝這いで床に近づいた兄は、うやうやしく書状を小一郎に差し出した。小一郎も、兄に習って書状を頭上に差し上げてから丁寧《ていねい》に開いた。そして、最初の二行を見て仰天した。

「参百貫文
　右　可レ被ニ知行一候」

とある。

〈夢ではないか……〉

と、小一郎は思った。

三百貫文といえば、米四百石が買える銭である。家老とまではいかないが上席の旗本、つまり侍大将格の知行に当る。今、兄がもらっているのは四十貫だから一挙七倍半の加増である。情報収集と薪奉行やお堀の普請奉行とでかなりの功績があったとはいえ、これはまた豪快な加増だ。

「兄者、こら真実《まこと》か……」

小一郎は、恐る恐る訊ねた。

「ほんまもほんま。わしの目の前で信長様がお書き下されたんじゃ。ちゃあんと御黒印も押してあろうが……」

兄は、得意気にいった。確かに、そのあとには、

「永禄七年正月三日　　　織田上総介信長」

とあり、黒印もある。宛名も間違いなく、

「木下藤吉郎殿」

となっている。

「なるほど……、これは凄い」

小一郎はうめいた。流石にぞくぞくする。

「凄いじゃろう、これが信長様のなされ方じゃ。働きに応じて身分前歴に関わりなくごっそり御加増下される。有難いことじゃよ」

兄は、いよいよ得意になった。だが、その時になって、小一郎は書状の最後に奇妙な

一句の入っていることに気がついた。

「但、右ハ於東美濃之内」

と小さく書き加えられているのである。

〈はて……〉

小一郎は首をひねった。東美濃は織田家の所領ではない。美濃の国主・斎藤龍興に与《くみ》する豪族や地侍たちが多数蟠踞している所だ。

「これは、どういうこっちゃな……」

小一郎は、末尾の字句を指差して訊ねた。

「知れたことよ。この知行地は東美濃の内で与える、という意味じゃ」

兄は、平然として字句の説明だけをした。

「そら分っておるわ……」

小一郎は苛立った。中村で百姓をしていた二年前までは、僅かな文字しか読み書きできなかった小一郎も、今はこの程度の書付けは読める。この二年間、夜な夜な長屋で文字を勉強した成果だ。

「俺の聞きたいのは、織田家の領地でもない東美濃で、どないして年貢を取るのかちゅうことや」

「ワハハハ……」

途中まで聞いて兄は大笑いした。

「そこよ、これが信長様のなされ方じゃ。つまり、これから東美濃を取って、その内で三百貫文を下さるちゅうことよ」

「何や……」

小一郎はがっかりした。それでは全くの空手形、それどころか、他人名義の手形を勝手に発行しているようなものだ。信長は、あの桶狭間の戦勝以来、毎年美濃に出兵しているが、その都度斎藤方の頑強な抵抗に遭ってはね返され、未だに寸土も奪えない。これでは東美濃がいつ奪えるか分らない。そんな所の知行など、何百貫もらっても何の値打ちもないではないか。

〈質の悪い冗談か……〉

小一郎はそう思った。だが、兄の藤吉郎は大真面目に、

「これで、わが木下家も三百貫取りの侍大将の家になることが決った。ちとよき家来をふやさにゃならんでな……」

というのだ。

〈何を、またバカバカしい空騒ぎを……〉

小一郎は、またしても現われた兄の大言壮語の悪癖にしらける思いだった。しかし、兄は、その翌日から本気で家来捜しをはじめていた。妻の実家の男たちや織田家の小者

頭などに、「わしの家来になれや」と声をかけて廻っているという。

〈そんなことをいっても喰わしても行けんのに……〉

現実的な弟は、まずそれを心配した。今の所、木下組には多少の蓄えがある。薪奉行やお堀の普請奉行をした際に、幾分かの銭・米が余った。そのうちの半分は信長に返したが半分は褒美としてもらい受けた。そんなものが溜って三十貫文ほどになっている。だが、ここで家来の三人も増やせばその程度のものは一年でなくなってしまう。

〈虎の子の三十貫がのうなったら、あとはどうするんや……〉

百姓の頃から小銭を蓄えるのが生甲斐の一つでさえあった小一郎には、それが恐ろしい。だが、兄は至極楽観的だった。

「銭がのうなる前に東美濃を取るこっちゃ」

と笑い飛ばすのである。

「もし、一年経っても美濃が取れんかったら、どないする」

小一郎は問いつめた。

「そしたら仕方がない。一時、近江屋からでも借りるんやな。倍にして返すといやあ二、三十貫は貸すじゃろうが……」

近江屋というのは、最近、清洲の城下に流れて来た男で、余った米や薪を買い取ったり、足軽どもに衣服などを売りに来たりしている。多少の資金力はあるらしく、思い切った買付けもするが、悪どく高利をとるので評判はよくない。兄は、どうしたわけかこの流れ者が気に入り、他の組にも紹介などして商売を拡げてやっている。投機的な性格だから、倍返しといえば二、三十貫ぐらいは貸すだろう。しかし、高利の銭を借りて家来を養うなどというのは、どう考えてもまともな武士のすることではない。

「ま、心配はあとにして、何よりも早よう東美濃を取ることよ。必ず取れるわい」

結局、話は兄のそんな言葉で終ってしまう。この兄は、生涯、そういう無理を重ね、無理することで自らを追い立てて成長して行くのである。

二

「東美濃は必ず取れるわい」

といった兄の言葉は、小一郎の心配をよそに急速に現実味を持ち出した。織田家の美濃攻めが本格的になり出したからだ。

既に、小牧山城は完成、織田信長以下、多数の部隊が常駐している。つまり、いつでも美濃に侵攻できる体制が出来上ったわけだ。このことが予想以上に早く大きな効果を上げた。相手の斎藤方が激しく動揺し出したのである。

美濃・斎藤氏というのは、山城の国から来た怪人・斎藤道三が守護大名の土岐氏を追って国を奪った家である。当然、美濃の豪族や地侍との縁は薄い。しかも、この道三を子の義龍が討った。一説には、道三が三男の喜平次改め一色右兵衛大輔を跡取りにしようとしたので、長男の義龍が怒ったのだという。また、別説では義龍は道三の子ではなく、道三の追放した旧主・土岐頼芸《よりなり》の落胤《らくいん》だったともいう。いずれにしろ、戦国時代でも珍しい父子相克の合戦の末、子の義龍が父の道三を殺したのだ。この時、道三の娘・帰蝶（濃姫）の婿であった信長は、舅を助けようとして出兵したが、義龍軍に阻まれてなす術もなかった。織田信長の連年にわたる美濃侵攻は、この時に道三から美濃の領主権を譲られたというのが口実になっている。

もっとも、そんな口実はどうでもよい。問題は、こうした二重の簒奪《さんだつ》を経て来ただけに、斎藤家と美濃の豪族たちとの結合は至って弱いという事実だ。そのことは、義龍の子、龍興の代となった今も変りがない。それでも、もともと群小の豪族が割拠していた美濃では、斎藤氏に取って代るほどの有力者がいないので、とにかく、斎藤龍興が国主の座を保っている。

ところが、あの桶狭間の戦勝で東からの脅威を除いた織田信長が、連年侵攻して来るようになると様相が変った。防戦のための戦費調達と兵力動員が度重なり、地侍たちの負担が急増し出したからだ。

「山城から来た斎藤でも尾張の織田でも同じことだ」

と思う豪族もいる。そういう連中は、斎藤龍興の戦費調達や動員令に理由をもうけて応じなくなる。あるいは、いわれた半分、三分の一だけでお茶を濁す。龍興には、命令不服従者を討伐するだけの力と余裕がないと見ているからだ。

そうなると、斎藤方は残った忠実な者だけで織田と戦わねばならないから、彼らに負担が集中する。しかも守る一方の戦いでは領土も収入も増えないので、大した加増も行なえない。当然、「何も我々だけがこうまで……」という不満が深まり、離反者が増える。それがまた、残りの者の負担を一段と重くする。

戦国時代の大名が衰退する時にはみな陥る悪循環に、この頃の美濃斎藤家ははまり込んでいた。織田信長が繰り返して来た美濃攻めは、領地拡張には成功していなかったが、相手を苦境に追いつめる効果は十分にあったわけだ。

こうした状態の中で行なわれた織田信長の小牧進出は、斎藤方に重大な打撃を与えた。織田方が小牧に兵力を集め、いつでも美濃に攻め入れる体制を整えると、斎藤方も常時防衛の体制を組まなければならない。いち早く兵農分離を進め、木下組のような専業武士団を作り上げた織田家と違って、農業兼業の豪族の家の子や地侍を中心としている斎藤家では、常時防衛隊を組織するのは、途方もなく大きな負担だ。特に、田植えや稲刈りの農繁期になるとそれがきつい。龍興の許しも得ずに我が家に帰る豪族たちもいれば、隊長に無断で村に戻る足軽も出る。それを抑えようとする者との間に喧嘩が生じ反目が深まる。勿論、龍興自身の贅沢や怠惰を殊更に非難する者も出て来る。

こうした事情は、美濃国内の情報を集めている木下藤吉郎の耳にも入る。それを手伝っている小一郎も知った。

「いよいよじゃぞ、東美濃が取れるのは……」

兄は、窪んだ目を光らせてそういった。そんな時、途方もない話が伝わって来た。

「美濃の主城・稲葉山城が陥落し、斎藤龍興は逃亡したらしい」

というのである。

この話を最初に聞いた時、兄も小一郎も信じなかった。稲葉山城といえば、長良川畔にそびえ立つ孤山に築かれた天下の要害であり、再三織田軍が攻めて落ちなかった堅城だ。それが、誰知らぬ間に、さしたる戦さもなく陥落したなど常識では考えられない。

しかし、同じ情報が次々に入って来る。木下組の諜報機関ばかりでなく、各方面でも聞いている。念のために送り込んだ諜者たちも「間違いない」という返答を持ち帰った。

「して、陥したのは誰ぞ……」

兄はまず、諜者にそれを聞いた。誰しも一番知りたい質問だ。

「竹中半兵衛重治《しげはる》」

という答が返って来た。

「そら一体、何者ぞな……」

この名を聞いた時、小一郎はそう訊ねた。あまり聞かない名なのだ。

「西美濃岩手の城主・竹中重元の子や。三、四年前に家督を継ぎ、西美濃三人衆の一人、安藤伊賀守守就《もりなり》の娘を嫁にしておる。まだ、二十一やそうな」

流石に兄は詳しかった。

「そんな若僧が、またどうしてあの稲葉山城を取れたんやろ……」

小一郎は素直な疑問を投げかけた。

「何でも、龍興の態度が気に入らぬとかで、舅の安藤伊賀守と組んで大芝居を打ったようで……」

諜者の返答は曖昧だった。どうやって巨城を奪ったのか、誰にもよく分らないほどの早業だったらしい。しかし、奪い方はさして問題ではない。急がねばならないのはこれからのことだ。

信長は、この驚くべき報せに接すると、密かに使者を遣って、

「二郡十万石を与えるから稲葉山城を譲り渡せ」

といわせた。だが、竹中半兵衛重治は応じなかった。

「拙者がかようなことをしでかしたのは、龍興殿をお諫め申すためである。織田家に城を売って高禄にありつこうなどという魂胆は元よりござらん」

と、いとも穏やかに答えたという。

それでも信長は諦めず、二度、三度使者を送った。与える禄を美濃の半分にまで引き上げ、譲らぬとあれば攻め潰して見せると脅した。だが、竹中半兵衛なる青年の答は変らず、

「織田上総介殿が攻め寄せると申されるなら御随意になさるがよい。半兵衛、弓矢でお相手いたす」

とまでいい切った。当然、織田家中はいきり立った。

「生意気な若僧だ。一挙に攻め潰せ」

という感情的な声から、

「どうせ稲葉山城には大した人数も居るまい。安藤、竹中の手だけなら千人以下じゃ」

という計算ずくの議論まで、いろんな角度から戦さを推める意見が出た。兄の藤吉郎も同意見だったし、小一郎もそう考えていた。だが、信長の下した命令は全く違っていた。

「東美濃に向かう」

というのである。

〈なるほど、そういうものか……〉

小一郎は、信長の下した判断を嚙みしめて考えた。恐らく信長は、今、稲葉山城を攻めると、美濃の豪族たちを結束させ、かえって強敵を作ると恐れたのだろう。それより

も、西方での混乱で大いに動揺しているに違いない東美濃を攻め、その地の豪族たちを寝返らせる方が確実だ。それに東美濃を抑えれば、西の近江の浅井と共に稲葉山城を圧迫できる。そのために信長は、浅井家の若い当主・長政に、美貌の妹、お市を嫁がせて盟約を固めているのである。

壮烈な覇気と行動力を持つ織田信長には、同時にこんな緻密で辛抱強い一面もあった。これが信長をして偉大な政治家たらしめた所以《ゆえん》でもある。木下藤吉郎、小一郎の兄弟は、そうした点を目の当りに見て深く学んだことであろう。

三

九月末、兄・藤吉郎が雀躍《こおど》るような足取りでやって来た。織田信長より、

「松倉城主・坪内喜太郎利定を懐柔し、東美濃侵攻の道案内をせしめよ」

という命令を受けたのだ。東美濃に攻め入る前に、この方面の情報収集に当って来た木下藤吉郎をして宣撫工作をさせようというわけだ。

「いよいよ東美濃が織田家のものになるわい。三百貫の禄ももうじきじゃ」

兄はそう繰り返した。しかも、命じられた仕事は、さして難しいものでもない。坪内氏の松倉城は尾張と美濃の国境にある。ために織田、斎藤の争いでは旗幟《きし》鮮明に

することを避けているが、当主の利定自身は織田家に好意的だ。二年前の桶狭間の合戦にも織田方に参加し、今川兵の首一つを討ち取っている。ただ、松倉城には、利定の祖父・宗兵衛兼光、父・玄蕃允《げんばのじょう》勝定もいて、積極的に斎藤家を離れるわけにもいかなかったらしい。しかし、斎藤龍興が本城さえも追われる有様では説得も容易だろう。武士というものはいつの時代でも自家の安泰と繁栄を第一に考えるものだ。

果して、坪内利定は、藤吉郎の来訪を待ち受けていたように、織田軍の案内役を引き受けた。この男が、信長の使者の来るのを待っていたのは、それによって織田家とのパイプを太くしたかったために過ぎない。

しかし、これだけのことでは、藤吉郎にとっても坪内にとっても大した手柄にはならない。「道案内」というのは、単に地理上の道筋を教えることではなく、それを安全に進めるよう周囲の地侍や土民を懐柔しておくことなのである。

木下藤吉郎はすぐ、坪内利定と協力して、東美濃川並《かわなみ》の地侍たちの説得にかかり、短期間に成功した。桶狭間以来の織田家の威勢と最近の斎藤家の混乱とを見比べれば、どっちに味方するのが有利か誰にも分る。川並の地侍たちは、形式的な協議会を一、二度開いただけで、すぐ藤吉郎らの説得に応じて来た。

「小一郎、やったわ」

これだけの仕事をすませて戻って来た兄は、得意満面ではち切れそうに見えた。三百貫はさらに一歩現実に近づいたのである。

木下藤吉郎の報告を受けた信長は、時を移さず行動を起した。まず、全力を挙げて犬山城を攻め、一挙にこれを陥すと進んで坪内氏の松倉城に入ったのだ。

この戦さでは、小一郎も従軍した。しかし、大した苦労も手柄も立てる暇さえなく、気がついた時には松倉城にいた。

「有難いことじゃ。大して働きもせなんだわしを、信長様は満座の中でお誉め下さったぞ」

松倉城に入城した日、兄は涙を流して喜び、

「この御恩に応えるためには、もう一働きせにゃあならんわ……」

と繰り返した。「もう一働き」というのは、あと二、三人の豪族を懐柔して織田方につけることに他ならない。

次に、兄が目をつけたのは、鵜沼《うぬま》城主の大沢基康であった。この選択は、常識的に考えると当を得ている。鵜沼城は犬山の目の前にある。犬山城が陥ち、松倉城に信長が入り、川並の地侍までが織田方となった今となっては、鵜沼城も敵地に取り囲まれた形である。

いつ何時、織田の大軍に襲われないとも限らないし、斎藤方の救援も今は望み難い。織田方の軍事圧力を背にして説けば、直ちに寝返って来るような気がする。

「早ようせないかん。こんな仕事を他人に取られては面目ない」

兄は、そういって、連日信長のもとに通い出した。柴田勝家や丹羽長秀のもとにも顔を出し、鵜沼の大沢基康説得の使者に自分を選んでくれるようにと運動した。その間、木下組の足軽たちの指揮・監督は一切、小一郎にまかせ切りである。

「喜べ、小一郎」

十日ほど経った日の夕方、信長のもとから戻って来た兄が叫んだ。

「とうとう三百貫をほんまに頂いたぞ。この川並の地侍衆をわしにお付け下されたんじゃ。川並衆百五十人、木下家が取り仕切れとな……」

「ほう、それはめでたい」

小一郎も手を打って喜んだ。

「いや、そればかりやない。信長様はこの藤吉郎を鵜沼につかわされることになったわ。これが成功の暁にはな、今お築きの伊木山のお城の城代に、猿めを、いや木下藤吉郎を当てるとも申された。川並ばかりか鵜沼、猿啄《さるばみ》両城を抑える大事なお城をお預け下さるのじゃよ……」

「へえ、そうすると、兄者はもう城主か……」

あまりのことに小一郎は驚いた。三百貫の知行が本物になるというだけでも夢見心地なのに、一城を与えられるとはまた、あまりにも大きな飛躍である。

「そうよ、わしも城主じゃ。信長様の大気なことよ」

兄は、有頂天になって、小さな身体を反りかえらせた。そして、つい本音を吐いた。

「いや、鵜沼の大沢基康めは、あれでなかなか気位の高い奴でな、ただの足軽大将では相手に不足と申すやも知れん。ま、もうじき城代になる身となりゃあ、やり易かろうて」

と、独り言のように呟いたのだ。

〈なるほど、そういうことか……〉

小一郎は、兄の呟きから全てを悟った。兄は、大沢基康を投降させてみせると約束して、そのためには仮にも城代の名が欲しいと信長にせがんだのに違いない。信長としては、まだ出来もしない城代の名など惜しいものではない。それで鵜沼城が手に入るのなら有難い限りだ。文句なく許したことだろう。

〈少々調子に乗り過ぎてはいまいか……〉

小一郎は、ちょっと心配になった。しかし、それを口には出さなかった。小柄な兄の持つ勘の良さと絶妙の説得力とを信じたかった。それに、余計な口出しをして兄に不安を与えるとかえってまずいような気もした。だが、このためにこの兄弟は、最初の重大な試練を経験することになったのである。

四

翌朝、兄は勇躍して鵜沼城に向かった。昨日にも増して明るく自信にあふれた様子で、妙に派手な服装に身をやつしていた。

「川並の地侍を取りしきる織田家侍大将、次期伊木山城代」

というには、それがふさわしいと考えたのだろう。あるいは、織田家の使者が堂々と入城する所を見せびらかして、大沢基康にあと戻りできない心理を植えつけようと考えたのかも知れない。

「夕方までには帰る。明日になったらわしは城代様、小一郎はその代官じゃぞ」

兄は出がけに、そんなことをいった。だが、結果はそう簡単ではなかった。その日、兄は帰って来なかった。次の日も、その次の日も、帰って来なかったのである。

「大沢の説得に意外と手間取っているのかな……」

小一郎は、最初そう思っていたが、三日目になると不安になった。川並の地侍たちを呼んで、兄の行方を捜してくれるように頼んだが、分らない。ようやく夜半になって、

「大沢基康は織田家に降ることを拒んで、木下殿を捕え監禁しているらしい」

という報告が入った。

小一郎は仰天した。

〈急いで助けねば、兄の生命が危ない……〉

と焦った。

この当時、敵方の使者を斬ることは滅多にない。どういうわけか、それだけはこの国の武士社会のよく守られた慣習になっている。高天神城に監禁されていた徳川の臣・大河内政局や伊丹城で捕えられた黒田官兵衛など、使者に行った者が長年月獄に繋がれた例はあるが、斬られたことは少ない。

小一郎も、大沢基康が兄を斬ることはまずあるまいと思った。心配なのはむしろ味方の方だ。自分の出した使者が捕えられたと知ると、信長は怒り狂って鵜沼城を攻撃しないとも限らない。信長の性格からみて、全城焼打ち、皆殺しということも起り得る。そうなると、兄も城もろとも焼け死んでしまうかも知れない。

〈信長様の耳に入る前に手を打たねば……〉

小一郎は焦り慌てた。だが、足軽大将の弟程度では何ともできない。自ら敵城に忍び込んで獄中の兄を助け出すような芸当もできない。忍びの術は勿論、人並の武芸すら心得がない。

〈こうなったら、何としても大沢を説得する以外にない……〉

そう考えた小一郎は、再度の使者を出してもらうことにした。だが、直接信長にいうわけにはいかない。陪臣の身では殿様にお目通りもかなわないのである。

〈誰かを通じて〉

よりない。思い当るのは、去年のお堀普請で総奉行にかついだ丹羽長秀だが、これとて直《じ》かに近づくには偉過ぎる。考え抜いた挙句に思いついたのは、坪内喜太郎利定だ。この男は兄を通じて織田家の「道案内」になったのだから、パイプ役の兄が居なくなると損をする立場にある。その利害からでも話に乗るだろう。しかも、東美濃には詳しいから坪内の話ならみな聞くに違いない。

小一郎はまず、坪内利定を説得し、連れ立って丹羽長秀の前にまかり出た。

「木下藤吉郎殿の説得に大沢基康は七分方心を動かした。ところが息子の主水《もんど》が断固反対して藤吉郎殿を監禁してしまった。弱輩の木下如きの言葉だけでは信じられんということらしい。願わくは今一度、使者をお出し下されるよう信長様に申し上げて頂きたい」

坪内利定は、小一郎の頼んだ通りのせりふを丹羽長秀の前で吶々《とつとつ》といってくれた。この際は巧まざる雄弁といえる。

「分った。殿に申し上げてみよう」

純朴な長秀はすぐ承知した。ねたみの多い織田家の家中で、この男だけは妙に兄に好意を持っている。策略とか諜報とかいうものに縁のない長秀は、藤吉郎を競争者と感じなかったのだろう。

丹羽長秀から話を聞いた信長は、すぐそれを実行した。

「攻め取るよりも調略で味方にする方が安上りだ」

というのが、機能主義者の信長がこの時期持っていた考え方だ。この男が峻烈な戦さをするのは、妥協があとに問題を残すほどに織田家の規模が拡大してからである。

同時に信長は、丹羽長秀らに命じて軍を鵜沼城の近くにまで進めさせ、大沢基康を脅《おど》しもした。二度目の使者にも応じなければ攻め潰すという態度を明示したわけだ。

結局、これが効いた。兄が出発してから七日目、大沢基康は勧降に応じ、人質を織田方に差し出した。

兄・藤吉郎が、大沢家の人質を船に乗せて松倉城に戻った時、小一郎は嬉しさに涙を流した。そして、

〈もう武士は辞めよう〉

と考えた。だが、帰り着いた兄は、

「どうじゃ。これで三百貫取りの城代じゃ。小一郎も嬉しいであろうが……」

と、胸を張って見せた。

事実、木下兄弟はようやくこの時、出世の糸口を掴んだのだ。この東美濃における一連の調略こそ、木下藤吉郎、のちの太閤秀吉の信頼できる史料によって裏付け得る最初

の功労である。

だが、『絵本太閤記』ともなれば、これがおもしろおかしく作り替えられている。例の長短槍仕合の話だ。仕合の相手・上島主水を、実は宇留間城主の弟・大沢主水として、藤吉郎の功名を飾り立てている。あるいは、大沢基康の一時的な逡巡と最終的決断が、息子の主水にあったことを脚色したのかも知れない。

美濃の夢

一

「夢じゃのお……」

兄・藤吉郎の呟きが聞えた。永禄八年（一五六五）旧暦三月、出来上ったばかりの伊木山城本丸櫓《やぐら》から、北に拡がる東美濃の山野を眺めていた時である。

「は……」

小一郎は、兄の言葉を解しかねて、口ごもった。何を「夢」といったのか、分らなかった。

眼前の景色は、夢のように美しい。山裾を木曾の流れが洗い、その彼方には東美濃の地が続く。山は若葉に花を混じえて新しく、風は霞《かすみ》を含んで柔らかい。陽は暖かく、気は新鮮な土と木の香りを漂わせている。人のまどろみを誘うような光景に違いない。

だが、この兄が景色などをめでることは滅多にない。まして敵地間近なこの城で、そんな甘い感傷に浸ることはありそうもない。

〈我が身のことか……〉

と、小一郎は考えた。確かに、この三年間の出世を思うと夢のようだ。濃尾国境に新設されたこの伊木山の城を、兄は信長様より預かっている。去年の秋、松倉城主・坪内喜太郎利定と共に、東美濃川並の地侍たちを懐柔し、さらに進んで鵜沼城主・大沢基康の勧降にも成功した。その功労によって、兄はこの新城の城代の地位を与えられた。城、といっても規模は小さい。山腹に何重かの柵《さく》を植え、山背と峰に幾つかの櫓《やぐら》を組んだだけの山塞《さんさい》である。この当時の出城といえば大抵この程度のもので、のちの人々が「城」といった名から想像するような白壁の天守や塁丈とした堀・石垣があるわけではない。ことにこの伊木山城は、急造の前線基地だから、城代の生活する館もごく簡素だ。

それでも、三年前の夏に、はじめて清洲城下で見た兄の家を思い出すと隔世の感がある。あの時、兄は九尺二間の足軽長屋にいた。戸障子とてなく、入口には古ムシロがぶら下がっているだけ。家財といえばつづら一つに槍一本、それに寝具用の古布二枚。年間に受ける禄はようやく五貫目になったばかりだった。

それが今では、三百貫の知行を取り、清洲の城下に立派な邸を持ち、中村郷から呼び寄せた母親のなかと妻のねねとを、何人もの下男下女をつけて養っている。勿論、目下の織田家の本拠、小牧にも急造ながらも相当な屋敷がある。家老とまではいかないが、上級の侍大将に当る地位と収入だ。

兄の家来の自分でさえ、足軽大将並の庭付一戸建てを営んでいる。兄は、信長様から頂く三百貫の中から一割に当る三十貫を小一郎にくれる。木下家の総収入の一割というこの比率は、兄が終生守った小一郎への参加報酬であった。

しかも、織田家中における兄の実質的な権限と役割は、この収入と地位よりもはるかに高い。兄はただの実戦将校ではなく、「目利き、耳聡《みみさと》」の働き、つまり情報担当官の役割も果している。それに、預けられているこの伊木山の城は東美濃攻略の先進拠点という機能を備えている。濃尾国境のこの城は、美濃斎藤方への守りであり、帰属間もない川並の地侍や鵜沼城の監視所であり、東美濃進攻の際の兵站《へいたん》基地でもある。

それだけに、兄の指揮下には並の侍大将よりもはるかに多い兵力がある。信長から与えられた織田家直参《じきさん》の足軽組三百人のほかに、兄の懐柔した蜂須賀小六の一党と川並の地侍、計三百人が与力として加わっている。併せて六百人、この当時の織田家の全動員兵力の百分の四か五が木下藤吉郎の指揮下にある勘定だ。指揮下の人数だけでいえば、兄はもう織田家中の十傑に入るだろう。合理的な機能主義者の信長は、門地前歴にこだわらず、能力のある者にどんどん大兵力を与えて働かせるのだ。

当然、これに従って兄の家中における発言権も高まった。最近では末席ながらも老臣会議に連なっている。今までのように、こっそり信長の側ににじり出て、幇間《ほうかん》よろしくおどけたりはしゃいだりしているのではない。

「確かに夢のようでございますなあ、今の身分は……」

小一郎は、そんな答をした。言葉も態度も慇懃《いんぎん》である。この城にいる限り、兄は城代であり、自分はその家臣だ。血肉を分けた兄弟といえども主従の礼を欠いてはならない。特に、兄は成上りだけに丁重にしてやらねばならない、と小一郎は思っている。

「何、今の身分が夢じゃと……」

兄は、怪訝な視線を小一郎の顔面に送った。鋭く厳しい視線だった。

「ハハハ……。夢じゃと申したのよ、この先が……」

兄はいつもの陽気な表情に戻って、短い手を精一杯前方に伸ばした。

「この先、見える限り美濃じゃ。何ぼでも手柄を立てる所があるわ。夢は大きいぞえ……」

「あ、なるほど……」

小一郎は、また慇懃にうなずいた。しかし、内心ではうんざりしていた。

〈もうええではないか。そう焦るな……〉

とい返したい気分なのだ。

兄・藤吉郎は、常に尻に火がついたように前に向かって駆けている。手柄を求め、功名を追い、一刻も休むこととてない。それが今日の成功をもたらしたのには違いない。だが、兄の駆け昇るあとを追う小一郎には苦労が多い。

例えば、今、この城にいる者たちの調和を保つだけでも、大変である。何しろ、木下組は急造の部隊だ。この当時の軍事集団の主流をなす郷村単位の豪族たちの部隊と違って血縁地縁がまるでない。信長から貸し与えられている足軽たちも多くは流れ者、浮浪人、孤児などの喰いつめ者のなれの果てだ。乱暴者が多いから勇敢ではあるが、平時の管理には骨が折れる。

そこへ、蜂須賀党や川並の地侍が加わった。当然、直参の足軽組との間には摩擦がある。その融和がまた難しい。しかも、地侍には斎藤方からの逆工作が入る。警戒は厳重にしなければならないが、厳し過ぎると嫌われる。疑われていると思うとかえって離反を誘う。現に鵜沼の大沢基康は信長の心中を疑って動揺しているという噂がしきりだ。

〈こんな状態で、功名功名と焦っても仕方がない。今はまず地固めが先ではないか……〉

と小一郎は思う。だが、兄は、一にも二にも前進である。依然として足繁く信長のいる小牧城に通い、美濃の情報を集め、よき手柄はないかと嗅ぎ廻り、この城にも腰を落ち着けることがない。内部の面倒は七割方も小一郎にまかせ切りだ。

〈あんまり上ばかり見ずに、ちと腰を据えて地道にやったらどうや……〉

小一郎は、そんな意味のことをいおうとした。だが、兄の方が先を越した。

「苦労をかけておるのお……、小一郎……」

と、囁きかけて来たのである。絶妙のタイミング、しかも黒ずんだ小さな顔には抗し難い人なつっこい笑いがある。後年、何百もの敵味方をたらし込むあの笑顔だ。

「お前の手助けができる良き家来を、我が家も集めにゃならんことは分っとるんじゃがなあ」

兄は一転して淋し気に呟いた。小一郎は、兄の自分に対する理解と的確な問題把握に満足した。今、彼ら木下兄弟が直面している最大の問題は、木下家自身の直属家臣が量質共に著しく不足していることだ。

この時代の武士社会では、多少とも地位のある者はみな、自分の封地で養う直属家臣を持っている。つまり、先祖伝来の村々で、それぞれに自営軍団を抱えている形なのだ。織田家から与えられた足軽組と独立の地侍からなる与力とで構成されている木下組は珍しい新型兵団だ。もちろん、兄も知行三百貫となったのだから、自前の家臣団を持てる。だが、それがなかなか整わない。なり手がいないのだ。

つい三年前まで一介の足軽だった藤吉郎には、父祖伝来の家臣などは一人もいない。しかも、この男には不思議なほどに血族縁者が少ない。血肉を分けた男兄弟は小一郎ただ一人だし、父親の兄弟とか従兄弟とかいう者も全くいない。幼くして村を飛び出したため中村郷にも知己《ちき》が少ない。もともと仕事嫌いのわんぱく小僧と評判の悪かった兄は、中村の村人たちを好んではいないのだ。つまり、この時代の武士団を形成する基本的要素である世襲の主従関係と血縁と地縁を、藤吉郎は欠いているのだ。これは、侍として出世する上で、致命的といってよいほどの欠点である。

聡明な兄はこれに気がついている。三年前に弟の小一郎を詐術と哀願で連れ出したのもこの弱点を補うためだ。今も、人捜しには痛々しいばかりの努力をしている。その甲斐あって、多少の家臣は出来た。一年前までは小一郎ただ一人だった兄自身の家来が、今では「士分」といえる者だけでも十人を超えている。

兄の妻・ねねの母親の兄に当る木下七郎左衛門、同じくねねの実兄・木下孫兵衛、最近、藤吉郎・小一郎兄弟の妹と結婚した地侍・佐治某、さらには、姉・ともの夫である大高村の百姓・弥助までを引っ張って来て、侍に仕立てて加えた。乏しい親類縁者を手当り次第にかり集めたのだ。

しかし、出自の低い藤吉郎の親類縁者では大した人物がいるはずもない。右のうちでいささかでも役に立つのは清洲城下に残した組の者の家族の世話を手堅くしている孫兵衛ぐらいで、あとの連中は雑用係ぐらいにしか使えない。

兄もまたそれを知っている。だから、足軽頭などに気の利いた者がいると聞けば、すぐ飛んで行って、

「わしの家来になってくれや……」

と誘う。それで付いて来た者もいるが、大した人物は見当らない。およそ、織田家の直参でそこそこやって行ける自信があれば、ついこの間まで足軽だった「猿」の家来になど成下ろうとはしない。織田家直参と木下家家臣という「陪臣《またもの》」とでは羽振りが違う。

このことを象徴するような話が、つい最近もあった。兄が妻の養家の養子、浅野弥兵衛なる若者を得ようとした時である。弥兵衛はまだ十八歳だが既にねねの妹と結婚している。つまり、養家の縁では藤吉郎の妻の弟であり、婚姻を通じては義弟に当るわけだ。縁者の少ない兄にしてみれば最も身近な人物の一人だ。

この弥兵衛がなかなかに才長《た》けた青年であることを見込んだ兄は、弥兵衛の養父であり、自分の義父でもある浅野長勝に、

「弥兵衛殿をもらい受けたい。ゆくゆくは我が弟・小一郎と共に木下組の柱として育てたいと思うておる故、是非にも……」

と辞を低くして頼み込んだ。

しかし、織田家直参の弓組頭である浅野長勝は、

「弥兵衛は既に織田家に仕えておる。ゆくゆくは我が浅野家を継ぐ身じゃから、陪臣に成下っては御先祖様にも申しわけない」

といって一蹴してしまった。

のちに、浅野弾正少弼《だんじょうしょうひつ》長政と名乗って、豊臣家の五奉行の一人になる弥兵衛が、兄・藤吉郎に臣従するのは、これより数年後、藤吉郎が近江横山の城を得てからである。

〈やっぱり、だめか……〉

良き協力者の到来を待ち望んでいた小一郎は、兄以上にがっかりした。それは出自の賤《いや》しさの不利を思い知らされる厭な出来事だったが、兄は逆のことをいった。

「ええ家来を集めるためにはな、小一郎。この木下組がどんどん伸びることをみなに示さにゃあかん。どんどん手柄を立て御加増を頂き、家来共にも高禄を与えてやる。そしたら自然と人も集るわい」

「けど、それまでをどうする。兄者一人でやれるんか……」

小一郎は、いつしかいつもの親しい口の利き方になっていた。

「お前がいる」

兄はまた陽気に笑った。だが、小一郎は笑えなかった。

「兄者と俺とだけでできるかな……」

小一郎はもう一度訊ねた。

「できるとも……」

兄は、あっさりといった。そしてそのあとで、ちらりと心の焦りを覗かせる呟きをもらした。

「一益《いちます》は一人でやっておる……」

一益とは、出所不明の流れ者ながら秀でた才覚と度々の功名で二千貫取りの身分に成上っている滝川一益のことだ。兄は、我が身に似たこの男をライバルとも手本とも見ているらしい。

数日後、その一益がまたしても功名を立てた。

「滝川様のお骨折りで北伊勢表の状況が好転、信長様御自ら御出馬になる。みなお伴せよ」

という触れが、伊木山城にももたらされたのだ。

二

永禄年間――世は割拠から統合に向かいつつある。分裂と簒奪の繰り返しから、各地に有力大名がそれぞれに拡張と吸収を目指して動き出した時期だ。のちに全国を分割して覇を争う大諸侯はみな、この時代に成長し、基礎固めをした。尾張・織田家もその一つであり、今は領土の拡張に全力を傾注している。

織田家の拡張方向は、北と西、つまり美濃と伊勢である。もう一方の方向、東へは、なぜか信長は進もうとしない。

東方から織田家を圧迫していた駿河の今川は、五年前の桶狭間の敗戦で治部大輔義元を失って以来、衰退が著しい。現当主の氏真《うじざね》が蹴まり以外に才能も興味もない凡庸な男だからだ。あまりにもきらびやかであった義元の跡だけに、それが一段と目立ち、家中の覇気が一遍に抜けてしまったかの感がある。一族重臣の間に勢力争いがあり、服属していた周辺部の豪族の離反が進んでいる。

ごく普通に考えると、今こそ東に向かう好機に思える。現に甲斐の武田信玄などは駿遠の北辺を盛んに侵蝕している。だが、信長はそれをしない。三河松平家の若い当主・元康、のちの徳川家康がひどく気に入ったらしく、この方面は松平の切取り次第にまかせている。

恐らく信長は、一日も早く京に進出するため、東に勢力を割きたくはなかったのだろう。全国の政治的権威と豊かな経済力を持つ京都や堺を抑えることが、いかに重大か、信長はよく理解していた。これは、農業、農地ばかりが重視されたこの時代の人間としては、驚くべき政治経済感覚だ。信州北部の猫額の領土にこだわっていた武田信玄や上杉謙信などとは大きな違いである。

尾張から京への道は二つある。北上して美濃を抜け北近江に出る東山道経由と、西南に下って北伊勢から鈴鹿を越えて南近江に向かう東海道とである。

木曾の大流で尾張と分かたれた北伊勢には、濃尾平野の続きともいえる広々とした平野が拡がっている。現代人の目にはまとまり易い地形に思えるが戦国時代の現実は大違いだ。大小の河川と入り込んだ海とが複雑な水面と湿地を造り、郷村を分断していたのだ。その上、近年ここには、政治性の強い一向宗が浸透し、寺院と地侍との連合による小王国が生れ、もともとの領主・北畠家の威令はとみに衰えている。地形と同じく、一見攻め易くその実なかなかにややこしい政治情勢なのだ。

信長は、北の美濃と同時に、西の北伊勢にもしばしば兵を出した。だが、ここは木下藤吉郎の活躍場所ではない。もう一人の出世人滝川一益の独壇場といってよい。

滝川一益は、藤吉郎が美濃でしている仕事の総てを、ここでより大規模にやっている。つまり、情報収集、調略、拠点の守備、そして前線司令官だ。その上、この男には一つの特殊技能がある。鉄砲というものを巧みに操るのだ。のちの長篠の合戦で、織田鉄砲隊は史上に有名となるが、この新兵器の実用性を織田家の中でまず発揮したのは一益であった。

この滝川一益が、北伊勢の情報収集と調略とで、またもある成果を上げたらしい。

「御殿直々に御出馬あれば、たちまちにして数カ城を抜くことができましょう」

といって来たのだ。

信長はすぐこれに応じ、家中の全部隊に動員令を下した。伊木山の木下藤吉郎も例外ではない。

「半知の兵を率いて伊勢表に出張られたし」

というのだ。半知とは、配下兵力の半分という意味である。信長は、前線基地の伊木山城を守るだけに木下組を置くような無駄はしない。

「小一郎、留守を頼むぞ……」

兄は、当然のようにそういった。だが、頼まれる小一郎の方は楽ではない。半分の兵が出たあとで、斎藤方が逆襲して来る危険がないとはいえない。勿論、兄もそれは考えていた。

「足軽組の半分と蜂須賀党を残しておく。川並の地侍はわしが連れて行く」

という。帰属間もない川並侍はまだ信頼し切れない。ここに置いたのでは斎藤方の工作でどう動かぬとも分らない。だからそれは伊勢に連れて行く、というわけだ。

「何事も小六殿とよく相談せえ。喜太郎殿との連絡を忘れるな。決して敵の誘いに乗ってはならん。わしが帰るまでただひたすらに守っておれ……」

兄は、それだけの忠告を残した。戦さ慣れした蜂須賀小六と相談し、松倉城の坪内喜太郎利定と連繋し合って専守防衛に努めよ、というのだ。

「心得た……」

小一郎は短く答えた。万一、斎藤方が大兵を擁して来攻すれば、この小城など三日と支え切れるものではない。当然、討死することになる。だが、その可能性はまずあるまい。戦いに疲れた斎藤方が、自ら挑発することはあるまい、と小一郎は読んでいた。

この読みは当った。一カ月ほどの兄の留守中、さしたる事件も起らなかった。いささかでも小一郎の胆を冷えさせた事といえば、鵜沼城主・大沢基康が再度斎藤方に寝返るらしいという情報が入ったことぐらいである。

小一郎は、坪内喜太郎と相談して、季節見舞いに事寄せた使者を鵜沼城に送ってみた。だが、噂の真偽を確かめるには至らなかった。基康は病気と称して会わなかったが、息子の主水が基康に代って使者を丁重にもてなしたという。

伊勢から戻った兄に、この報告をすると、

「鵜沼では、父子が逆になったか……」

と大笑した。去年の秋に兄が勧降に行った時、織田方に降るのに頑固に反対したのは息子の主水の方だったのに、今は主水が織田贔屓《びいき》になり、父親の基康がぐらついているらしい。兄はすぐ、多額の金品を伊勢表での戦勝祝と称して主水に届けさせた。息子を手なずけて鵜沼城を織田方に繋ぎ止めようとしたのである。それでもなお、大沢基康離反の噂は消えなかった。恐らく、斎藤方が流した離間策でもあったろう。

「まあ、ええわい。今に信長様がこっちに来て、そこら中の敵を討ち平らげて下さろう。そうすりゃあ、基康めも動きようがのおなるわ……」

兄はそういって笑ったが、信長を出馬させるにはそれだけの用意がいる。いくら戦国時代といっても、ただいたずらに攻め込み戦うのでは、兵馬を損い戦費を消費するばかりで効果が乏しい。いわば「経費倒れ」になる。

信長の出馬を促す準備とは、調略である。織田方に内応する城主を作り、織田軍進攻と同時に開城さす。周囲の敵方が驚き慌てるところをさらに攻め、いくつかを陥落する。そんな手立てが必要なのだ。

伊勢から帰った兄・藤吉郎は、すぐこの準備にかかった。兄が目をつけたのは、加治田城の加治田紀伊守景儀という人物であった。実は、この男、去年の秋、信長が坪内氏の松倉城に入った時にも密かに使者を寄こした程だから、その気十分ともいえる。ただ織田方の旗幟《きし》を鮮明にすると斎藤方に攻められる、と恐れているらしい。斎藤方も抜目なく、加治田城に間近い堂洞城に岸勘解由《かげゆ》という豪の者を置いて、加治田紀伊守の動静を見張っていたのだ。

兄は、しばしば加治田に使いを出し、信長侵攻の際には城を開き、共に戦列に加わるよう加治田を説いた。幸い、七月になると、加治田紀伊守から「承知」の返事が来た。兄が雀躍《こおど》りして喜んだ事はいうまでもない。だが、その直後に異変が起った。八月早々、斎藤方の有力武将、関城主の長井隼人佑《はやとのすけ》が大軍を率いて来襲し、加治田城を攻撃し出したのである。斎藤方の予防的先制攻撃だ。

加治田城からの救援要請に織田信長はすぐ応じた。まず、織田家は重臣の斎藤新五郎に三千の兵をつけて加治田城の危急を救わせ、次いで自ら八千の兵を率いて小牧から急行して来た。

「いよいよじゃぞ、我が功名を立てる時は……」

織田家の大軍を、先進拠点の伊木山城に迎えた兄は、狂おしいほどにはしゃぎ立てた

ものだ。先の北伊勢での合戦で、滝川一益の手柄を目のあたりに見せつけられて来た兄

は、それに劣らぬ功名を、この東美濃で上げようと焦っていた。

だが、この時木下藤吉郎に与えられた任務は、華やかな先陣でもなく、信長の目に留

り易い本陣廻りの役でもなく、地味な兵站《へいたん》輜重《しちょう》の仕事だった。兄は、小一郎を伊木山城

において兵站中継に当らせると共に、自らは組下の大半を率いて本隊の後備につき、前

線への輜重役を勤めた。

信長は、斎藤新五郎の先遣隊が、加治田城救援の目的を果したことを知ると、自ら多

治見修理の籠る猿啄《さるばみ》城を攻め立てた。猿啄城は堅固な山城だったが、丹羽長秀が峰続き

の大ぼて山を占領して水の手を切ったために支えられなくなり、多治見修理は堂洞城に

逃れ込んだ。

信長はこの戦勝を祝して、猿啄の地名を勝山と改め、殊勲の者を賞したが、その中に

兄・藤吉郎の名は入っていなかった。また、その席上、

「誰ぞ、堂洞へ行って、岸勘解由を説いて来い」

ともいったが、いつになく兄は名乗りを上げなかった。岸がなかなかの硬骨漢であることを知っていたからだ。

〈兄者もなかなか用心深うなった……〉

この話を伊木山で聞いた小一郎は、兄の採った態度に大いに満足した。

結局、岸勘解由勧降の使者には、金森長近という若い侍大将が志願したが、結果は兄の予想通り成功しなかった。

だが、この使者は全くの無駄に戻って来たわけではない。金森青年は、二日間の堂洞城滞在中に城の構造や城兵の様子などを詳しく調べ、信長に報告した、というのである。

〈偉い男もいるもんや……〉

小一郎は舌を巻いた。堂洞城には、硬骨漢の岸勘解由に加えて、ついこの間、猿啄城から逃げ込んだ多治見修理もいる。当然、織田方に対する反感は強いはずだ。そんな所に行って無事に帰るだけでも大仕事なのに、その間に城の様子までさぐって来るとは大した度胸だ。

〈俺には真似も出来ん……〉

小一郎はそう思い、金森長近という男に興味を持った。後年、小一郎はこの男と深い仲になる。小一郎は養女の一人を金森長近の息子に嫁がせ、豊臣との縁に結び付けるのである。だがこの時、伊木山の城で兵站補給の任務に当っていた小一郎は、金森長近を見ることはなかったであろう。だが、のちの縁は、この時の思い出からはじまったのかもしれない。

さて、金森長近の報告を得た織田信長は、堂洞城攻撃を決意した。鵜沼、加治田、猿啄の諸城が織田家の手中に入った今では、堂洞城こそ東美濃南部における斎藤方の最後の拠点だ。これを陥せば東美濃南部の平定は終る。逆に、これを残して置いたのでは斎藤方の反攻基地となり、これまでの苦労が水泡に帰す恐れさえある。堂洞城攻防はこの方面での織田・斎藤の決戦といえた。

信長は総力を挙げて猛攻したが、城兵もまたよく防いだ。その上、一旦引き揚げた長井隼人佑が再来して城方の後巻きをしたので、織田方は兵を割いてこれにも備えねばならず、いよいよ攻囲は長引いた。

攻城戦が長引くと苦労するのは兵站、輜重の部門である。包囲攻城戦は、籠城側だけではなく囲む側も兵糧不足に陥り易い。

兄は用心深く、相当に米を買い集めてはいたが、それも長くは持たなかった。たかだか六百人の木下組の喰扶持だから、総ざらい出しても一万二千人の侵攻軍の半月分にもならない。その上、川並の地侍たちは、自分と家族の食糧が失われることを恐れてあまり米麦を出したがらない。鵜沼城の大沢基康も同じ理由で城内兵糧の供出を拒んだ。その上、小牧、清洲からの輸送が人手不足と悪天気で難渋し出した。

九月に入ると、伊木山の蓄えは底をついた。小一郎は、松倉城の坪内喜太郎に頼んで米三百石を借りることに成功したが、それでも十日とは保《も》たない。一万二千の兵を養うには最低一日四十石の米麦がいる。

「小一郎、三日以内に伊木山の木下様まで米を運べば一俵一貫目で買うと触れさせえ」

この有様を聞いた兄は、即座にそう答えた。

「一俵一貫……」

小一郎は仰天した。通常の三倍の値だ。

「今、ここで米が要る。一貫目でも安い」

兄は平然と答えた。

「けど、織田家の力をもってしても運べん米を商人土民に運べるかな」

小一郎はもう一つの疑問を質《ただ》してみた。

「ほんなら二貫にせい。運ぶ者がないのは安過ぎるからや」

兄の答弁は明確だった。

「分った……」

小一郎は、直ちに城内の者を集めてこの旨をいい聞かせると共に、松倉城の坪内にも鵜沼城の大沢にも、これこれの触れを出すから人を貸して欲しい、と申し入れた。

効果は歴然たるものがあった。翌日から続々と米が集り、三日間で二千石にもなった。

これまで米を出し惜しんでいた近在の百姓たちが高値につられて米を持ち出して来たのである。川並の地侍は勿論、鵜沼城主・大沢一族さえもがこっそり人を使って売りに来た。

「予想以上に集った。今は半分だけ支払う。あとは節季払いじゃ。それでもよいか……」

小一郎は、米を持って来た者たちにそういった。一同の間には失望の色も流れたが、今更持ち帰るのは手間だ。半分の五百文目でも通常よりずっと高いから結局はみな売って行く。

兄は、この小一郎の措置に大いに満足し、

「信長様に申し上げて銭は必ずもろうてやるぞ……」

と約束してくれた。但し、この約束は完全には果されなかった。信長は、百姓はともかく、大沢のように供出命令に応じなかった者にはさほどの高値は支払う必要がないとして、あとで米で返させたのである。このことがやがて大沢基康の運命を変えることになるのだから人生は恐ろしい。

それはとも角、織田方の兵糧は当面心配がなくなった。そして間もなく、攻城戦の方も成功した。九月二十八日、織田方の投げ込んだ松明《たいまつ》の火が、強風に煽《あお》られて堂洞城の外曲輪《そとぐるわ》、二の丸の諸構えを焼いた。

城兵は我先に天守に逃げ込み、織田勢はそれを追って進み、焼け残った櫓の屋上から散々に弓・鉄砲を射かけた。『信長公記』の著者太田牛一は、自らもこの射撃に参加したと書いている。こうして、夕闇の迫る頃には、丹羽長秀、河尻秀隆らが天守に乗り込み、敵将と覚しき者をことごとく討ち果し、ようやく堂洞城を占領した。

戦い終って日が暮れると、信長は加治田紀伊守の加治田城を視察、その夜は城下の同右近右衛門邸に一泊し、翌日は山下町で首実検などを行なった。この間に、織田家の諸隊は順次引き揚げて行った。兄・藤吉郎も、夕方には上機嫌で伊木山城に戻って来た。

だが、その直後に、驚くべき報せが入った。

「殿が、敵の大軍に囲まれ御苦戦」

というのだ。

「敵は何者……」

兄と小一郎は同時に叫んだ。そしてその答を聞いて二度びっくりした。

「美濃の国主・斎藤龍興殿御自身の出馬」

だったからである。

斎藤龍興は、竹中重治、安藤伊賀守らに一時乗っ取られていた稲葉山城（のちの岐阜城）を最近回復したところで、まだ内治も安定していなかったが、東美濃の要衝・堂洞城の危急を見捨てるわけにもいかず、手勢三千をかき集めて、この日ようやく出張って来たところだった。それが、偶然にも首実検を終えて引き揚げにかかった信長の本隊と遭遇する形となったわけだ。

「堂洞の敵討ち」

とばかり、斎藤勢は突進した。信長もよく戦ったが、不幸にも織田方は戦勝に気をよくしてあらかた諸隊を帰しており、信長の本隊には八百人ほどの備えしかいない。流石の信長もこれでは敵わず、多数の死傷者を出して敗走する形となってしまった。

木下藤吉郎は、すぐ伊木山城から山下の方向に出動したが、既に信長の本隊は敗走したあとで、何らなす所がなかった。

斎藤龍興は、この遭遇戦の勝利で、辛うじて一矢を報いたものの東美濃の諸城を回復することは到底できなかった。織田信長は年来の願望である東美濃南部を手中に収め、いよいよ斎藤氏の本拠・稲葉山城を南・東より圧迫する態勢を整え得たのである。

小牧に帰りついた織田信長は、東美濃攻略の論功行賞を行なったが、兄・藤吉郎への褒美は多くはなかった。それでも、のちの藤吉郎の出世に重要な影響をもたらすことが二つあった。一つは、松倉城の坪内喜太郎、加治田城の加治田紀伊守らに与えられた知行を、木下藤吉郎より書き伝えたことである。

なかでも、東美濃攻略の先導役をつとめた坪内喜太郎は、従来の所領に加えて御台所入りとして二百三十貫目の加増が与えられ、都合六百二十貫取りの身分になった。これを示した木下藤吉郎の書状（永禄八年十一月二日付）は、現存する藤吉郎の最も古い書面である。

坪内、加治田ら東美濃の豪族たちに知行書を書き与えたことは、木下藤吉郎がこの方面の代官に正式に就任したことを意味するわけで、多少の加増を上回る出世といえる。

もう一つは、藤吉郎、小一郎の兄弟に名を許されたことだ。兄は喜び勇み、自らを「秀吉」と名付けた。当初、兄は「猿」と呼ばれていることに因《ちな》んで「日吉」としようとした。日吉神社の神獣が「猿」だったからだ。だが、それではあまりにも卑下してかえっていやらしいと考え直し、「秀吉」に改めた。「秀」の一字は、主君・信長の父、信秀の名から頂いたのでもある。

「小一郎、お前は何とする……」

兄は、そう訊ねた。

「決っている」

小一郎は迷わずに答えた。

「兄者が秀吉なら、俺はその一字を頂き、丹羽様から一字を頂く」

「長秀か……」

兄は嬉しそうに答え、その日のうちに我が弟に名を許されるよう丹羽長秀に願い出た。

丹羽長秀を無二の上司と立てて、成上り者に対する家中の風当りを避けようという意図があったからだ。このような場合、目上から頂いた字を上にする礼儀に従い、この人も「長秀」と名乗ったが、のちには上下を逆にして「秀長」と改める。兄はこの改名の理由は「弟めが丹羽様と同じ名では恐れおおくて呼びづらいでな」とおどけた調子でいっていたが、その実、他の重役たちへの配慮もあったのかも知れない。

本書では煩わしさを避けて、以後「秀長」で通したい。

敵中に功あり

一

永禄九年（一五六六）旧暦八月。

木下藤吉郎が濃尾国境に新設された伊木山城を預かるようになってから、一年近くが経った。この間に、織田家の勢力は、伊勢と美濃とにかなり伸びている。去年の九月、織田信長はこの城の対岸に連なる加治田、猿啄、堂洞の諸城を降し、東美濃の大半を手中に収めた。

この結果、美濃・斎藤勢に対する最前線基地として造られた伊木山城も、織田家の領地と防衛拠点に分厚く取り囲まれるようになった。当然この城の機能も変り、それに伴って城代・木下藤吉郎の役割も変った。伊木山城は前線の城塞から東美濃一帯を監視する行政基地となり、城代の藤吉郎には新領を治める行政官の役目が加わった。そしてそれがまた、木下藤吉郎の地位と発言権を強化した。

木下藤吉郎の指揮下には、松倉城の坪内利定、鵜沼城の大沢一族、加治田城の加治田家の者、さらに猿啄、堂洞の城に入った織田家の武将らも加わった。禄の加増は百貫に過ぎず、今なお侍大将並みの四百貫だが、配下の兵数は都合二千を数える。木下藤吉郎の地位は、織田家の「東美濃軍政司令官」ともいうものだ。

二千人を指令する軍政司令官という役割と四百貫という封禄とは、いかにもアンバランスだ。当時としては常識破りのこのやり方こそ、信長式である。この天才肌の苛烈な主君は、能ある者には重責を与え大軍をまかすが、封禄の方はそう気前よく増しはしない。それによって有能な成上り者と能力の乏しい累代の重臣との均衡を取っていたのだ。

「能ある者には権を、功ありし者には禄を」

という人事管理の要領を、若き日の信長は見事なまでに実行していたわけだ。

この体制で、最も割を喰うのは能力者の補佐役だ。仕事が多く責任が重い割には封給が低い。今、藤吉郎の実弟、木下小一郎はそんな立場にある。

「この人」のしなければならない仕事は多い。木下組の足軽や新付の地侍の管理、配下諸城の監督、新領の年貢取立てや地割の変更、そして木下家自体の家政と経理などだ。有能な兄は主君に呼ばれて留守勝ちだから、これらの仕事のほとんどは小一郎の肩にかかって来る。

だが、禄は少ない。未だに四十貫に過ぎない。家臣の統率、配下の監督、情報の収集などに、かなりの人数を自前で斉《そろ》えねばならぬ兄としては、これ以上を弟一人に与えるわけにはいかない。

もし、この頃、木下小一郎が望んだとしたら、兄と別れて織田家に仕えて、百貫取りの直参として独立することも容易《たやす》かったであろう。この時代、ちょっと気の利くものなら兄弟別々に主君に仕え、それぞれ直参の武士として一家をなすのが普通だったのである。

だが、小一郎は、そんなことを一切考えなかった。「この人」が不満のなかった百姓暮しを捨て武士の社会に身を投じたのは、独立の侍として成功するためではなく、兄・藤吉郎の補佐役となるためだったのだ。

〈兄者には俺が要る……〉

そう考えることが、小一郎には心地よかった。兄は恐ろしく頭がよく活動的で努力家で驚くほどに大胆だ。人心収攬《しゅうらん》の術と機を見るに敏な感覚でも卓抜している。だが、そのあまりにも積極的な性格にはどこか危なっかしい所がある。無能者への寛容と些事《さじ》に対する緻密《ちみつ》さを欠くようにも見える。あるいはそれは、前に進むことを急ぐあまりの多忙さが原因かも知れない。だが、原因が何であれ結果は同じだ。自分が居なければ兄は何かに躓《つまず》くに違いない。

〈俺は、一人では大した武将にはなれん……〉

小一郎はまた、そうも考えた。あまりにも機敏で大胆で人生に対する闘志に燃える兄の側にいるせいか、「この人」には自分の至らぬ所もよく見えた。所詮は「補佐役」に適するように生れついている、と思うのだ。

〈どうせ補佐役なら兄のそれになり、生涯主役になろうとは望まぬことだ……〉

小一郎は、そう心に決め、何度も自分にいい聞かせていた。そして同時に、乏しい禄をせっせと蓄えもした。「この人」は、兄とは違って生涯女好きでもなければ派手好みでもなかった。物欲も大きくなければ、目立ちたがりもしなかった。ただ銭を蓄えることだけは、百姓暮しの間に身についた習慣通りに続けていた。

幸い、今日までの所、大胆な兄と丁寧な弟との組合せは巧く行っている。

「小一郎、いずれまた御加増のこともあろうでなあ……」

常に前を見つめている兄は、そんな言葉で小一郎への感謝の気持を表現した。お前の禄が少な過ぎるのは分っている。いずれ御加増頂けばお前の手当も増してやるぞ、という意味なのだ。

だが、弟は、それも望んでいなかった。ただでさえ出世を急ぐ兄が焦って失敗でもすれば大変だ、という心配の方が先に立つ。補佐役たるもの、主役がひっくり返ったのでは元も子もない。

「慌《あわ》てんでもええ。東美濃の新領をまとめるだけでも今は忙しいわ」

小一郎は、ふくよかな頰を歪《ゆが》めてそう答えるのが常だった。

そんな最中、兄・藤吉郎の拡げた情報網から聞き捨てならぬ報せが入った。鵜沼城主・大沢基康が再度斎藤方に寝返る準備をしているというのである。

大沢基康は、一昨年の秋に、木下藤吉郎らの勧めによって織田方に降ったのだが、その後も不穏な噂が絶えない。去年の秋の合戦で、兵糧米を出し惜しんだりしたため、織田信長の覚えも目出たくない。そこを衝いて、斎藤龍興やその重臣・長井隼人佑の誘いが来た。

「織田上総介殿は執念深く冷酷なお方。一度猜疑を受ければいずれは誅される。一昨年来の事は旧忠に免じて水に流す故、斎藤家に帰服されよ。鵜沼の領地は勿論、東美濃一帯を進ぜよう」

斎藤方の使者は、このようなことを言葉巧みに繰り返したに違いない。大沢基康が、信長に対する恐怖と東美濃一帯という過分な褒美《ほうび》に心を動かしたとしても不思議ではない。

「あり得ることや……」

報せを受けた兄は、そういうと直ちに行動を起した。「巡視」と称して兵を連れて鵜沼城に向かったのだ。松倉城の坪内利定、加治田城の加治田紀伊守らにも後詰めをさせるという大掛りな「巡視」である。予防的先制攻撃といってもよい。

大軍が城を取り囲むのを見て、大沢基康は驚き慌てた。慌てた挙句に単騎、城を脱《ぬ》け出していずくかへ遁走してしまった。

城主が逃げ出したので城兵は仰天し、右往左往するばかりだ。木下藤吉郎は何なく鵜沼城を接収した。こういう素早さが小一郎には真似のできない所だ。

藤吉郎は、基康の息子・大沢主水を自分の家臣に加え、その一族郎党を地侍の形で織田家に従属させた。罪を基康一人に限って一族に及ぼさなかったのは、事後の統治と周辺諸城を懐柔する上で冷酷な印象を避けたかったからだ。

織田信長は、木下藤吉郎の用心深い監視と機敏な行動と適切な事後処理に満足し、総てを藤吉郎の案通りに許した。のちには峻烈を極める信長も、美濃攻めに腐心していたこの頃は、いたって寛容な態度を装っていたのである。

「小一郎、あとは頼む」

ここまで事を進めると、例によって兄はそういった。あとに残った仕事といえば、大沢の一族や旧部下を再編成し、地割を改め、織田家の直轄《ちょっかつ》となった地区の年貢を決めることだ。地味だが手間がかかる。下手をすると不満がつのり反乱を招きかねない。主将の逃亡で動揺している大沢一族らを落ち着かせるのは、それほど簡単なことではない。何しろここはまだ、織田・斎藤の争奪戦場なのである。

小一郎は、木下家の者を何人か連れて鵜沼城に入り、数日この仕事に当った。同じ大沢一族といっても仲の悪い者、係争中の土地などが多い。小一郎は時間をかけて人々の話を聞き、時には現場を見分して判決をつけた。「この人」のやり方は、五反の田畑をなでるように耕していた尾張中村の百姓小竹そのままに、いつまでたってもひどく丁寧だった。その丁寧さが大沢の一族旧臣を大いに安心させた。加えて、「この人」は、時には自らの蓄えから銭をはたいて不満な者に与えもした。そんな時には、いつもの地味な暮しからは想像もできぬほどに気前がよかった。将来、問題の多い紀伊・大和の領国を見事に統治する「この人」の手腕は、この小さなはじまりにおいても発揮されていたのだ。

二

木下小一郎が、鵜沼の整理をつけて、伊木山城に戻った時、城はあわただしい空気に包まれていた。小牧滞在中の織田信長から、

「全軍を率いて美濃表に出陣せよ」

との触れが来ていたのである。

信長はいよいよ、斎藤氏の本拠・稲葉山城を直撃するつもりでいる。去年、東美濃を

占領したことで斎藤方の勢力は一段と衰えている。正面からの力攻めでも一挙に主城を陥落し、永禄三年以来の美濃攻めに決着をつけられる、と信長は考えていた。

「いよいよじゃ。美濃攻め第一の功名はこの木下藤吉郎秀吉がたてて見せるぞ」

兄は、そういって勇み立った。松倉城の坪内利定にも、加治田城の加治田紀伊守にも、兵を率いて小牧に参集せよとの軍令が飛んだ。鵜沼城にも大沢主水を派遣して旧大沢家の人数を連れて来させた。それぞれの城には、百人程度の留守居を残して総出動したのである。この結果、約千五百人の「木下軍団」が結成された。「第一の功名」をねらうに十分な人数だ。

当然、小一郎も「晴れの一戦」に加わるつもりでいた。だが、兄は、この時も、

「留守を頼むぞ、小一郎」

といった。

「厭だ、今度は俺も征《い》く……」

小一郎はそういいたかったが、思い直した。自分のほかに、適切な留守役がいない。この際、伊木山の留守を守るのも、必ずしも簡単な仕事ではない。今年が最初の年貢取り立てという所もある。そのやり方如何では農民・地侍の不満がつのる。勿論、斎藤方が乱波《らっぱ》を派遣して攪乱《こうらん》することも予想される。その上、美濃滞陣が長引けば兵糧の調達・輸送も大仕事になる。取り立てた年貢米をすぐ使わねばならないこともあり得るの

だ。

「心得た……」

小一郎はうなずいた。華々しい功名の機会に、目立たぬ留守居役を務めるのも補佐役の任務だ、と考えたからだ。

小牧に参集した織田家の大軍が、木曾川を渡って美濃に入ったのは、八月二十九日のことである。全軍には「今度こそ」の意気込みがみなぎっていた。誰もが必勝を信じていたに違いない。

すぐ月が改まる。永禄九年は、旧暦では八月が閏月《うるう》だ。閏八月はじめ、美濃・河野島に侵攻した織田軍は、斎藤龍興の全力を挙げての反撃に直面した。兵数では織田方が優っていたが、合戦の結果は必ずしもよくなかった。信長は後退して、木曾川沿いに陣を布き、斎藤龍興も境川に沿って布陣した。

「明朝、夜明けを待って決戦が行なわれるであろう」

自信と期待のこもった手紙が、戦場の兄から小一郎のもとに届いたのは、閏八月七日の夕方だった。

〈この分では、今度の出陣も長引きはすまい……〉

小一郎がそう予想したほどに兄の手紙には楽観的な気分がみなぎっていた。河野島における遭遇戦では後《おく》れを取ったものの、じっくり陣を構えて戦えば、圧倒的な兵数の優勢がものをいうと思えた。だが、今度は織田方に運がなかった。その夜から風雨が激しくなった。伊木山城の掻上げ堤が何カ所か崩れ、櫓の一つが足場を失って倒壊するほどの豪雨だった。

〈これはいかん……〉

小一郎は前線の兄の身を心配した。これほどの大雨になると、低湿な木曾川沿いは水つきになっているに違いない。そうなれば、兵糧が浸水し、悪くすれば流されてしまう。敵地に滞陣する侵攻軍としては最も警戒すべき事態である。

実際、小一郎が心配した通りのことが織田軍陣地で起っていた。しかも、雨は止まず、川の水は減らない。兵は動揺し、野外の炊飯は不可能だった。止むなく信長は、一旦、兵を尾張領に退くことにした。そこで悲劇が起った。撤退と聞いて慌てた足軽どもは、隊列を崩し、統制を乱し、我先に木曾川に跳び込み、多数の溺死者を出してしまったのである。

戦場における人間は、みな脅えている。それでもまだ、進む時は強い。後から押し出して来る味方に押されて前に進み、進むことで興奮し勇気づく。陣中に留っている時もまだいい。陣を脱《ぬ》けて一人逃げ走るのはかえって勇気がいる。だが、退くとなれば、誰しも怖くなる。先は安全に見え、遅れることが恐ろしい。隊伍は乱れ、順序は狂う。一人が乱れれば他も崩れる。

殊に、当時の織田勢のように、流れ者や浮浪人を集めた専業兵士の多い部隊ではそれが著しい。家族支配の農民兵なら、生きて帰っても早逃げの誹《そし》りを受けることを恐れるから必死に踏み留まろうとするが、地縁血縁の乏しい専業の足軽たちにはそれすらない。信長の進めて来た兵農分離は、幾多の利点の半面にこうした弱点をも持っていた。同じ専業武士といっても、確立した封建体制に組み込まれた江戸時代の世襲武士と、この当時の足軽集団とは質的に違うのである。

この年、閏八月八日の撤退時に起った悲劇は、織田軍のそうした弱点を曝《さら》け出したものだ。木下藤吉郎指揮下の「東美濃軍団」からも百人以上の溺死者、行方不明者が出た。なかでもひどかったのは木下組の足軽たちで、約四十人、一割近い損害を出した。痛烈な敗戦に相当する損失である。

伊木山城に引き揚げて来た兄・藤吉郎は、流石に意気消沈していた。「第一の功名」を目指して勇んで出た時とは打って変って、むっつりと無口になっていた。そしてそれが、二日、三日と続いた。

〈おかしい……〉

四日目になって、ようやく小一郎はそれに気付いた。これまで、どんな打撃を受けても二日としょげ返っていたことのない陽気な兄が、今度ばかりは丸四日も難しい顔で押し黙っているのである。部下を溺死させたくらいの問題ではないらしい。

〈これは……何か重大なことを考え悩んでいるのに違いない……〉

小一郎は、それに気が付いた。その証拠に、兄は思い沈んではいるが、目は鋭く厳しい。だが、何を、考えているのかは、小一郎にも分らない。

だが、翌日になると、兄の方からそれをいい出した。伊木山城の城主館の奥まった一室に、兄は小一郎を誘い込んで、美濃・尾張の絵図面を拡げた。

「小一郎、どう思う……」

兄は、指で濃尾国境を流れる木曾川を示す濃い水色の帯をなでながらいった。

「我が織田家が、何度も美濃に入りながら未だに確たる勝ちを収められんのは、この川のせいや。稲葉山の斎藤勢は、地続きで来られるし、長良の流れを使って難なく兵糧も運べる。それにひきかえ我が織田方は、木曾川を横に渡らねばならんから動き難いし、糧秣輸送にも不便極まりない。悪くすれば今度のように大勢が溺れ死ぬことにもなる……」

兄はまず、分り切った地勢を説いた。だが次の言葉は、小一郎のど肝を抜いた。

「木曾川の向うに城を築き、兵糧を蓄えれば美濃攻めはいと容易《たやす》うなるじゃろう。わしとお前でそれをやらんか」

「木曾川の向うに、兄者と俺で……」

小一郎は、思わず叫んだ。兄の窪んだ目から冷たく燃える視線が小一郎の顔に刺さっていた。

木曾川の向うといえば美濃、つまり敵地である。そこに城を築き、軽兵を置いて随時出撃すれば、斎藤方に大打撃を加えられるに違いない。また、兵糧を蓄え織田勢進攻の際の補給基地とすれば、大軍の長期作戦も可能だ。だが、問題は、その城をどうして築き、どうして保つかである。

織田家にとって築城の効果が大きければ、斎藤方にはそれを造らせると甚大な打撃だ。当然、敵は必死につぶしに来る。敵撃の恐怖に曝されながら長期間を要する築城工事などできるものではない。無防備な人夫たちは逃げ散るに決っているし、建設中に火箭《ひや》を浴せられれば一瞬にして燃え尽きる。木造建築は土壁をつければある程度火にも耐えるが、木組の間は実に燃え易い。

「そらあ……無理やろ……」

小一郎は、首を振った。

「そうか……お前もそう思うか……」

意外にも兄は、落胆しなかった。

「実は、河野島から引き揚げた日、信長様が川向うに城の一つもあればと呟かれたが、この仕事ばかりは誰も進んでお引き受けする者がおらなんだ。みな、無理やと思うておるのよ」

兄はそういった。願い出ればすぐ許される絶好の功名だ、という意味を言外に含ませている。

「わしは考えたんじゃ。櫓の木組、柵の材料をことごとく用意し、現場では打据え、組立てだけをするとすれば四、五日でできるはずじゃ。城を築くことは無理ではないぞ」

「なるほど……」

小一郎はちょっと感心した。築城は最低二カ月ぐらいかかるが、最初の一カ月は基礎掘りや木の刻みにかける。あとの大部分は、壁塗り、内造りだ。木組み柵植えの期間は確かに十日ほどに過ぎない。一切の段取りをつけて持ち込めば四、五日で組み上げることも不可能ではあるまい。この期間だけ、織田家の大軍に守られていれば、工事ができないわけではない。

「けどなあ、兄者」

しばらく考えた末に、小一郎はいった。

「城はできてもなごうは保《も》てまい。斎藤勢がすぐ攻め寄せるでな……」

四、五日の工事中は、織田家の大軍が警備するとしても、やがて織田の主力が尾張に引き揚げ、新築のか弱い城とその城兵だけが敵地に残される。地続きの稲葉山からはいつでも攻め寄せられるが、尾張からの救護には日がかかる。当時の軍隊は常時出動態勢でいるわけではなく、大部分は領国各地の農村や城塞に分散しているのだから、救援依頼を発してから援軍が来るのに少なくとも半月、普通は一月以上かかる。木曾川の増水時期にはさらに遅れることもあり得る。その間、敵地に孤立する平城を守り通すのは不可能だろう。木曾川の対岸には、天然の要害といえるような台地もないのである。

「もっともな御意見じゃな、小一郎殿」

兄は、久し振りに弟を殿付けで呼んで、

「それ故に、誰もやろうとはいわんのよ、それを、やろうと申すのじゃ。わしとお前で……」

と一膝にじり寄って来た。あの有無をいわさぬ迫力が、この時も藤吉郎の全身にみなぎっていた。

「兄者、死ぬぞ……」

小一郎はうめいた。

「かもな……」

兄は、あっさりといって、微笑んだ。揺がぬ決意をした人間特有の余裕ある笑いだった。

「分った」

小一郎は、短く答えてうなずいた。

「一緒にやって呉れるか」

兄は嬉しそうに膝を叩いた。

「当然や。兄者がやるなら仕方がない。……」

小一郎は、明るく笑って見せた。主役が決心した以上、補佐役はそれに従うほかはないと「この人」は考えていたのである。

三

数日後、小牧山で織田家の主な武将が参集して、軍議が開かれた。木下藤吉郎は、末席ながらもこれに出席する権利がある。

集った諸将はみな、憂鬱な顔付きだった。無理もない。今日の議題は、先の美濃攻め失敗の反省と今後の戦略についてである。

やがて、織田信長の長身痩軀が現われる。足速《あしばや》に来て一段高い主君の座につき、忙しく左右を見廻し、頭のてっぺんから噴出するような高い声でしゃべりまくる。

他の大名家の軍議と異なり、織田家のそれは殿様自身が三分の二を一人でしゃべる。といっても多言ではない。他の家臣が長々と語るようなことがないのだ。あの、今川義元の大軍が間近に迫っていた桶狭間前夜の軍議でも、信長は世間話だけをして解散してしまったという。それでも、「明日の出陣はいかに」などと問うものはいなかった。徹底的な独裁主義者であるこの君主は、家来に相談を持ちかけるようなことなどほとんどない。

「川向うに城が要る。誰ぞおらんか……」

突然、信長が話題をかえてそう切り出した。言葉は半切れ、文句には省略が多い。信長の気性と目下の問題を熟知していなければ、意味も分らぬことが多い。だが、気ままな信長は、聞き返されるとひどく不機嫌になる。その程度のことができない者は無能だと決めつけているのだ。

もっとも、今の場合、信長の言葉の意味を解せぬ者は、二十数人の列席者の中に一人もいなかった。美濃を攻撃するためには長良川の向うに橋頭堡的な城を築くのがよいという話は、既に先の撤退の直後に信長から出されていたからだ。信長は、この決死的な築城と城塞守備を進んでやろうという者は誰かいないか、と問いかけていたのだ。

一瞬、座は静まり、みな首を垂れた。敵地の中で城を建て、守り通す自信がないので、できるだけ目立たぬように小さくなっている。

十秒ほど経つと信長の額に不機嫌な縦皺が走った。その時、末席の方で、

「恐れながら、それがしが……」

という声がした。信長のそれに劣らぬ甲高い大声だった。一同が声の主の方を見ると、小柄な男が中腰になって、黒ずんだ顔を上席に向けていた。

「おお、猿か」

信長の整った白い顔がかすかにほころんだ。

「猿、汝《われ》がやると申すか……」

「恐れながらその事、この木下藤吉郎めに申しつけ下さいませ。必ず御期待にそむきませぬ」

藤吉郎は膝這いに進み出て平身した。居並ぶ諸将はほっとしたように顔を見合せ、次には皮肉な視線を藤吉郎に浴びせた。ある者は、

〈この男、また出過ぎておる〉

と見たであろうし、他の者は、

〈足軽上りに向いた仕事、こいつなら討死しても惜しくもないわい……〉

と考えたことだろう。もっとも、少数だが、本心から藤吉郎の勇気と決断を賞讃する視線もあった。丹羽長秀、堀秀政、前田利家らである。

「よし、猿、お前やれ」

信長は、他に希望者のいないのを確かめた上で短くいい、

「場所は墨俣《すのまた》、来月早々にかかれ……」

と付け加えた。

「来月早々……」

流石に藤吉郎は驚いた。つい十日足らず前に逃げ帰ったばかりなのに、すぐまた来月、美濃に入り城を築こうというのは、何とも性急な話だ。

「あほう、分らんか。今年はもう来んと、龍興めは思うておろうが……」

信長は、急ぐ理由をそう説明した。先の侵攻で多数の溺死者を出した織田勢は、もう今年は攻めて来ないと斎藤龍興は思っている。だから今がチャンスなのだ、というのである。

「あ、なるほど。御神算恐れ入りました」

藤吉郎は大袈裟に感心して見せ、もう一度平身した。累代の重臣たちには厭味なおべっかに見えたであろう。信長自身もちょっと苦笑いをしたが、どこか滑稽な藤吉郎の仕草と表情には怒れなかった。

この日から、織田家中はまた忙しくなった。

「伊勢方面不穏」

の噂が流れ、部隊の召集がはじまった。一方では、国中から大工が集められ、武士、足軽居住用の長屋十棟、櫓十基、塀二千間、柵用杭五万本の木材が用意された。これを信長は、長良川上流に運び上げ、夜陰に乗じて下流に流し、墨俣に陸揚げさせた。同時に尾張一国の全軍を三分して、その一つを自ら指揮して防戦に当り、他を木下藤吉郎につけて築城工事に当らせた。他の一つが留守居である。信長は、敵地での築城について、藤吉郎以上に周到な案を用意していたのだ。

織田家の鋒先《ほこさき》が伊勢に向かうと信じていた斎藤勢は虚を衝かれた形となり、慌てて攻撃をかけては来たが、兵力が不十分で、信長の指揮する防戦隊に阻まれ、工事を止めることはできなかった。ちょうど稲刈りの時期だったことも、農民兵の集りを悪くした理由の一つだったに違いない。そのうちに、木下藤吉郎らは昼夜兼行で濠を掘り柵を結び、塀を立て櫓を据えた。尾張の全兵力の三分の一、六千人が参加したため、三日ほどで一応の砦《とりで》ができ、五日目には土壁を施した堅固な櫓が立ち並んだ。

「まずは成功じゃな、小一郎……」

藤吉郎は、無精髭に汚れた顔をほころばせ、予想以上に迅速《じんそく》だった築城の完成を悦んだ。小一郎も、またしても兄の賭が成功したことを心から喜んだ。世に有名な「墨俣の一夜城」である。

築城が完成すると信長は、予定通りここに木下藤吉郎を入れ、千五百の兵を与え、十五箇条の掟《おきて》を定めて軍規を厳ならしめた。特に、この当時としてはまだ新兵器に属した鉄砲を百数十挺も貸して呉れたことが藤吉郎には幸いした。この頃の鉄砲は、工作技術の幼稚さのため、持ち歩くのには不便であり、雨天では使えないという欠点もあったが、柵の中や櫓の上から射る防衛戦には大いに威力があった。

だが、これで木下藤吉郎と小一郎の危険が去ったわけではない。織田信長とその大部隊が尾張に引き揚げると、すぐまた斎藤勢の襲撃が繰り返された。

藤吉郎は、稲田貞祐、青山秀昌、加治田景儀、蜂須賀正勝（小六）らを番手として守りを固め、堅く部下を戒めて警戒を怠らず、機を見て夜襲を試み、時には大勝を博した。

小一郎は、兄の巧みな防戦と大胆な夜襲に感心したが、それ以上に感じ入ったのは、この勝利を大袈裟に信長に報告した兄の功名上手であった。

兄は、信長側近の奉行・福富平左衛門と村井所之助とに長文の手紙を書いた。

「謹而奉言上」

にはじまるその手紙には、大要次のようにあった。

「昨日二十四日、稲葉山城より敵勢数千騎が押し寄せて来たが、当方は柵の外に一切出ず固く守っていたため、敵は思惑外れで何もできず、凱歌を上げ弓鉄砲を放っただけで引き返して行った。我が部下の番手の者は勇敢にも昨夜敵陣を夜討ちし大いに手柄を立てた。討ち取った首のうち十三を進上申し上げるので殿によろしく御披露頂きたい」

日付は九月二十五日である。

木下藤吉郎秀吉のこの手紙は、小瀬《おぜ》甫庵の『太閤記』や山鹿素行《やまがそこう》の『武家事紀』の古案部に収められている。漢文調の名文に書き直されているので偽文書という説もあるが、元本は実在したと見るのが有力だ。

木下藤吉郎のこの勝報に接した織田信長は、大いに喜んだ。

「藤吉郎の物初めよし」

と褒め讃え、持槍、持筒を贈ると共に、一方の主将として旗を用いることを許して呉れた。これによって、木下藤吉郎は、名実共に織田家の重臣に加わったわけである。

四

その後も二、三度、斎藤勢の襲撃はあったが、いずれも大した事もなく撃退できた。そして敵が退くとすぐ、城兵たちは城塞の補強工事をした。さらに堀を深くし、柵、塀を増強した。櫓も増やし、壁も厚くした。何しろ、後ろに木曾の大流を背負った敵地に居るのだから、みな真剣だ。この城一つが生命の綱と心得ているから、怠ける者も油断する者もいない。その上、危機感が一同の気心を結ぶ役にも立つ。東美濃当時からの部下、蜂須賀小六正勝や加治田景儀らと、ここに来てから信長より付けられた青山秀昌、稲田貞祐らとの間も巧く行っている。木下家自体の家来、木下孫兵衛や佐治某などもそれなりに働いた。小一郎にとっては、伊木山城の頃よりはむしろ楽な日々だった。

だが、永禄九年が暮れ、年が改まる頃になると、また小一郎は忙しくなり出した。兄・藤吉郎が、新しい仕事にとりかかったからである。

「今年こそ、美濃全土を織田家のものにする好機じゃぞ、小一郎……」

正月早々、兄は勇み立った。美濃国内の墨俣に織田家の城ができたことで、美濃の内部は、ひどく動揺している。この機に乗じて美濃の有力豪族を懐柔すれば、一挙に斎藤龍興を討ち破られる、というのだ。

「今度は大物じゃぞ。大沢、加治田の類ではないわ……」

藤吉郎はそういって嬉しそうに笑った。この兄は、やはり築城・合戦より、調略・懐柔の方が好きなのだ。

木下藤吉郎が目を付けていたのは「西美濃三人衆」といわれる稲葉一鉄、氏家卜全《うじいえぼくぜん》、安藤伊賀守の三人である。この三人を織田方につければ、西美濃の大半が織田のものになり、斎藤龍興はほとんど孤立する。もう熟柿が木から落ちるように稲葉山城が陥落するのも時間の問題といえる。

兄は、墨俣築城が終わったその日から、せっせと情報を集め、諜者を各地に送っている。そして、

「三人の中でも安藤伊賀守が一番説き易い」

と見た。

だが、それでもなお、直接安藤に当ることはしなかった。その前にもう一人、重要な人物を考えていた。不破郡菩提山の城主・竹中半兵衛重治という青年である。

この青年の名は、小一郎もよく知っている。三年前に、舅に当る安藤伊賀守と組んで、

堅城の誉れ高い稲葉山城を乗っ取り、一時、斎藤龍興を追い出すという離れ業をやった男だ。あの時は、織田信長も大いに驚き、美濃半国を与えることを条件に、稲葉山城の引き渡しを求めたものだ。だが、竹中半兵衛は、

「私がかような大事をしでかしたのは欲得のためではない。龍興殿の御乱行をお諫めするためです」

と静かに答えたという。そしてその言葉の通り、数カ月後には城を斎藤龍興に返し、自らは菩提山城も捨てて山間に隠居した。人間の欲と恐れとが露骨に競い合っていた戦国の乱世では、誠に奇怪な行動といわざるを得ない。

「竹中半兵衛というのは余程の変り者らしい……」

誰もがそういった。だが、兄・藤吉郎の評価は違った。

「余程に利巧な男なのよ」

というのである。

半兵衛が信長の提案を拒んだのは、そういう形で美濃半国を得ても保てないと知っていたからだ。主君を裏切って大領を得た者を苛烈な信長は信用しないだろう。いずれ自分を殺して大き過ぎる領土を取り返すに違いない。竹中半兵衛は、そこまで読んだのだ、と兄はいうのである。

「なるほど、ではその利巧者を兄者はどうやって味方にする気じゃな」

小一郎はそれを訊ねた。

「ああいう男は誇り高い。それがつけ目じゃ」

兄はニヤリとして答え、山中に隠棲する半兵衛のもとに使者を送り続けた。使者に与える口上はただ一つ、

「木下藤吉郎、伏して教えを乞いたい」

というのである。

兄の読みは当った。正月早々、

「非才を披見するだけなら……」

という返事が半兵衛から来た。兄はすぐ、

「次はわし自身が行く」

といい出した。敵地深く入らねばならぬ危険な旅だったが、兄は、

「半兵衛にはそれだけの値打ちがある」

といい切った。そしてその間の留守を、またしても小一郎にゆだねた。敵地に孤立する墨俣城の留守は楽な役ではない。しかも、この頃には城兵にもようやく気の緩みが見え出している。

小一郎は昼夜を分かたず見廻りをし、非番の者にも訓練や工事仕事を課して軍律を引き締めた。斥候をわざわざ遠くに出し、主将の留守を敵にさとられないようにもした。

だが、兄はなかなか帰って来なかった。三日の予定が五日になり、七日になり、やがて十日となった。

小一郎は兄の身と敵の動きに神経を磨《す》り減らしていた。だが十二日目には有難い結果が出た。兄・藤吉郎が満面に笑みをたたえて帰って来た。白面瘦軀《そうく》の青年を連れてである。

竹中半兵衛

一

「竹中半兵衛重治殿じゃ……」

墨俣城の城門に出迎えに出た小一郎に、兄・藤吉郎は連れて来た白面痩軀の青年を、誇らし気に紹介した。永禄十年正月、兄が西美濃に出かけてから十二日目の夕方である。

〈これが……〉

小一郎は、小商人風の服装に宗匠頭巾をかぶった青年を見つめて、我が耳目をしばし疑った。敵地を通り抜けて来たのだから服装の奇妙さは止むを得ないとしても、風貌までが小一郎の予想していた竹中半兵衛と全く違う。

小一郎は、竹中半兵衛重治という名から、たくましい長身と爛々と燃えるようなどんぐり目のついた髭面とを想像していた。誰に聞いたわけでもないが、美濃の主城・稲葉山城を乗っ取り、一時、国主の斎藤龍興を放逐した荒事師には、それがふさわしく思えたのだ。

あの時、竹中半兵衛は、僅か十数人の供を連れて稲葉山城に行き、周囲の隙を見て単身大奥に入るや龍興の愛妾と警護の侍数人を斬殺、斎藤龍興自身を人質にして城外に待機した安藤伊賀守らの兵を呼び込んだ、という。余程の武芸と抜群の胆力、狂気じみた決断力と緻密な策謀がなければ出来ない大技である。

しかし、今、目の前にいる青年はまるで違う。痩身で髭の薄い白面で細い切れ長の涼し気な目をしている。あの狂気の行動をしのばせるものがあるとすれば、その細い目が異常に鋭く、ものにつかれたように動かぬ所ぐらいだ。

だが、小一郎が、この青年を竹中半兵衛と信じ難かった理由は、容姿だけのことではない。半兵衛が、この墨俣に来ること自体が予想外だった。

竹中半兵衛は、稲葉山城乗っ取りという離れ業をやってのけ、世間を仰天させた。しかし、竹中家や安藤伊賀守らの手兵だけではこの巨城を維持することができず、半年を経ずして斎藤龍興に返却した。そして、半兵衛自身は、父祖伝来の菩提山城を捨てて山中に隠棲した。主君の寵妃や近臣を斬殺、一時的とはいえ主君を放逐するという途方もない乱暴をした以上は、このくらいは避けられまい。結果的にみれば、竹中半兵衛は自ら求めて父祖伝来の城と家臣を放棄したに等しい。

「無駄な骨折りをする奴もいるもんじゃのお……」

兄もかつて、そんな半兵衛評をしたことがある。誰もが寸土尺地を争って血を流している戦国の世なら、これが常識的な評価であろう。そしてまた、

「城と家臣を失った若僧なんかもはや大した値打ちもない」

と見るのも常識である。実力だけがものをいう乱世では、半兵衛のいう倫理や心意気などはこじつけの理屈でしかない、と見られている。竹中半兵衛に今なお利用価値があるとすれば、この青年が西美濃の有力豪族の一人、安藤伊賀守に深く信頼されている点ぐらいだ。安藤は、半兵衛の建てた稲葉山城乗っ取りの危なっかしい計画にさえ兵馬を出して支援したほどである。

兄・藤吉郎が竹中半兵衛に目をつけたのもこのためだ。つまり、半兵衛は「手段」であり、「目的」は安藤伊賀守ら西美濃三人衆といわれる有力豪族の方だ。そうだとすれば、半兵衛を墨俣城に連れて来たのは大いなる愚行といわざるを得ない。西美濃衆の誘降説得に当らせるのなら、斎藤方の監視が厳しい墨俣へ連れて来るよりも、美濃山中を泳がせておく方がはるかに効果的だ。

〈一体、どういう魂胆か……〉

小一郎は、連れて来た兄とついて来た半兵衛とを半々に眺めながら、そんなことを考え、

〈あるいは半兵衛、斎藤方の刺客を恐れて織田方に逃げ場を求めたのかも知れん……〉

などとも考えてみた。竹中半兵衛の痩軀と青白い顔と異常に鋭い眼光とには、逃亡者の尖った神経を思わせるものがあったからである。

「木下殿の御舎弟、小一郎秀長殿ですか。はじめて面識を得ます。私、竹中半兵衛重治です」

青年は、僅かに背を曲げて、そういった。ひどく横柄な冷たい口調に思えた。

「いかにも、小一郎にござります。半兵衛殿の御高名はよく存じております」

小一郎は丁寧に答えて深く頭を下げた。首と背と腰とが同時に曲がり、小一郎の身体は前に丸まった。ピンと背を伸ばしたまま僅かに腰を折った半兵衛の尊大さとは対照的な姿勢だ。

〈俺はまだ、百姓癖が抜けんなあ……〉

小一郎は、城主とその弟と見知らぬ青年との応対ぶりを注目している城兵たちの視線を意識して、内心苦笑した。

「まま、入られよ。話はゆっくりいたそう……」

兄が、いつもの陽気な大声をあげ、半兵衛を城内に誘った。

「御免……」

竹中半兵衛は、ただ一言いって、無遠慮にも先に立った。小一郎は二、三歩遅れてあとを追った。そしてはじめて、半兵衛が自分よりかなり上背のあるしなやかな肢体の持ち主であることを知った。肉は薄く肩はなでているが、歩き方は猫のように軽やかだ。

〈やっぱり、相当の腕前の男らしい……〉

稲葉山城を乗っ取る時、一瞬にして数人を斬殺したという噂を、小一郎は思い出した。

墨俣城は、敵地に作られた織田方の橋頭堡である。堀を深く穿《うが》ち、柵は何重にも結われている。はじめ十基だった櫓もその後の増強で十六基になった。侍、足軽の長屋にも土壁を塗りつけ、屋根には泥を上げてある。火箭《ひや》を防ぐためだ。永禄年間の城としては一応の構えといってよい。だが、野戦の前線陣地だけに飾り気のないことは著しい。城主の館といっても、足軽長屋と同じ粗壁、板敷で、窓切りなどは極く少ない。辛うじて部屋だけはやや広く、軍議のための三十畳ほどの広間がついている。これがこの城の「本丸」である。

兄は、竹中半兵衛と小一郎を、この城主館に連れ込んだ。そこでは、木下七郎左衛門が何人かの小者をつれて三人を迎えた。女気の全くないこの城では、兄の妻の伯父に当るこの老人が、城主の身の廻りの世話役なのだ。

「半兵衛殿はな、小一郎……」

城主館の玄関口で、はき物を脱ぎながら兄が気楽な口調でいった。

「わしの先生になって下さる。我等の軍師じゃ。小一郎もようお教え頂くようにお願いせえ」

「へえ、それは……」

小一郎は途中で言葉を呑んだ。どういう意味か、と訊ねたかった。「兄の先生」となれば、小一郎から見ると「主君の師」になる。木下組の主席補佐役として苦労して来た「この人」にとっては、妙な「ライバル」ができたような気がしないでもない。

小一郎は急に、竹中半兵衛の立居振舞いが気になり出した。だが、半兵衛は、素知らぬ顔で、兄に続いて広間に入った。小一郎を全く無視しているようにも思える態度だった。

「半兵衛殿、どうぞ上座に……」

兄は、黒ずんだ顔を精一杯崩して奥の方を差し示した。そこには、つい先日、信長より許されたばかりの馬印が立てかけてある。金色に塗った瓢簞に赤い五葉の千切りをつけたものだ。こうした馬印を用いられるのは、一軍の将たる証である。

「いやいや……」

流石に半兵衛は上座を遠慮した。

「そう申されるな、半兵衛殿。貴公は我が師でござるよ」

兄は、おどけた格好でそう繰り返していた。小柄な兄が、年下の青年を抱きかかえるようにして上座を勧める姿は、滑稽味がある。こんな所が兄の巧まざる人使いの上手さだろう。

「それでは、恐れ多いが対等に……」

しばらくの押し問答の末に、半兵衛はそういって、一方の側に横向きに座った。

「さようか。ならばわしも恐れ多いながら、師と対等に……」

兄はまた、おどけた口調でいって、半兵衛に向かい合って座った。

小一郎は、一瞬、座り方に戸惑った。複雑な思いが心中に湧き、渦巻いた。

城代であり、木下組の司令官である兄の立場なら座り方などどうでもよい。どう座ろうが何と呼ぼうが、竹中半兵衛がここに留まる限り、目下である。城代の地位は、織田信長から与えられているのだから、信長の命令がない限り、半兵衛に奪われる心配はない。

しかし、小一郎の方はそうではない。当然、二人の間には上下、序列の問題が生じる。座り方も呼び方も、単なる虚礼ではなく、地位、権限に関わる問題なのだ。

この際、小一郎の座り方は二つある。一つは、向かい合った兄と半兵衛の下座に、両人を見上げる形で上の方に向いて座ることだ。これだと、小一郎の地位は半兵衛の下位ということになる。もう一つは、兄と並んで半兵衛と向かい合う形で座を占めることだ。これだと、兄と共に共同の主人として対等の客を迎える形になり、小一郎の地位は半兵衛の下にはならない。

小一郎には、この位置を占めることもできた。戦国時代の作法では、領主の夫人や跡取り息子、またはそれに代る弟などは、主君の座に並ぶことが珍しくない。この当時、大名や高級武士の知行は、個人のものというよりも家に付いていると考えられていたので、領主の家族（少なくとも夫人と跡取り）は、ひっくるめて「御領主様」なのである。兄・藤吉郎には子供がいないのだから、唯一人の実弟である小一郎は、跡取りという立場を取ってもおかしくないのである。

小一郎も、一瞬はそうしようかと思った。兄の後継者という立場を、ここで敢えて主張する気はなかったが、今来たばかりの青年の下位に立つのには抵抗を感じる。だが、すぐに思い返して、

〈半兵衛は、兄者にとって大事な男なんや〉

と、自分にいい聞かせた。

兄・木下藤吉郎の最大の弱味は、よい家来が乏しいことだ。出自の賤しい兄には父祖伝来の家来など一人もいないし、有能な親類縁者もいない。兄が苦労して集めた妻ねねの身内や姉妹の夫などにも大して役に立つ者は少ない。

信長からこの城を守るために付けられた侍大将たち、稲田貞祐、青山秀昌、加治田景儀、蜂須賀正勝といった連中も野戦の勇将ではあっても策略経営の才は皆目ない。

「これから木下家が伸びるためには、よき家来を揃えにゃならん」

というのは兄の口癖であり、小一郎の痛感する所でもある。

〈竹中半兵衛がその手はじめかも……〉

小一郎はそう思った。

竹中半兵衛重治の才覚の程は、まだ分らない。しかし、あの堅固な稲葉山城を瞬時にして乗っ取ったのだから並みの男ではあるまい。少なくとも、その名は世間に知られているから、これが木下藤吉郎の与力となったという噂だけでも人材応募の上で大きな効果がある。そしてその半兵衛が長く木下家に留まっているとなれば、世の野心ある賢人たちも木下藤吉郎の門下に集ることだろう。

〈兄者が十日余りもかけて半兵衛を口説き、この城に連れて来たのもそのために違いない……〉

小一郎は、そう考えた。「わしの先生」と呼んだり、上座を勧めたりする兄の大袈裟なポーズもそれを推測させる。

〈よし、ここは一つ、半兵衛を大いに立ててやろう。大事の前の小事じゃわい……〉

小一郎はそう決心して、自ら下座に、それもかなり距離を置いた場所に座り、うやうやしく半兵衛に一礼した。

「御丁重なこと、痛み入る……」

竹中半兵衛は、小一郎の方に少し頭を下げて礼を返しただけだった。

その日の夜、兄は小一郎を長屋に訪ねて来て、

「小一郎、よう辛抱してくれた……」

と、礼をいった。

「なんの、俺は兄者の弟じゃからなあ……」

小一郎は笑ってそう答えた。

「そうよ。お前にその分別があればこそ、わが家は安泰じゃ……」

兄は、ただそれだけをいった。いつもに似ず兄は寡黙だったが、千言万語にも尽せぬ意思の疎通があった、と「この人」は感じた。

「この人」は、この時、竹中半兵衛に示したのと同じ態度と思考を生涯持ち続けた。そしてそれが、兄・藤吉郎の予言した通りにこの家を安泰にしたのである。

二

永禄十年（一五六七）、季節は冬から春に移った。

竹中半兵衛重治が墨俣の城に入ってからも、この城の日々はさして変りがない。ここは、依然として敵地に孤立する橋頭堡であり、斎藤方の襲撃の脅威も消えない。千数百の城兵は、交代で昼夜を分かたぬ監視を続けている。

だが、滞城六カ月ともなれば、当初の緊張感は薄れ、ややもすれば気が緩む。この頃は、こっそり城を抜けて近隣の村に女漁りに出かける兵もいる。酒の末に喧嘩も起る。築城当時、織田信長が定めていった十五箇条の厳格な掟も破られがちで、軍規は明らかにたるんでいる。

〈危ない頃だ……〉

と、小一郎は思った。こんな時に、斎藤方が全力を挙げて奇襲して来れば、案外もろく討ち敗られるものだ。それは、木下組全員の生命にかかわる問題である。

幸い、今年になってから斎藤勢は一度も攻めて来ない。築城当初には再三来襲していたが、陥せぬとみて諦めたのだろうか。あるいは、間を置いて城兵を油断させ、一挙に押し潰そうと機を窺っているのかも知れない。

小一郎は気を揉んだ。各手番の将兵に交代で訓練をさせたり、城塞の補修工事を命じたりして、緊張を持続させることに努めたが、それも一時的な効果しかない。あまり厳しくすると、かえって不満が出たり苛立ちが昂じたりする。みな、この危険な敵地駐留がいつまで続くのか不安がっているのである。

〈何とか早く、情勢が好転しなければ……〉

と小一郎は思う。情勢の好転とは、美濃の豪族たちの間に分裂離反が生じ、斎藤方にこの城を攻める余力が乏しくなることである。

ところが、兄・藤吉郎は平然としている。調略誘降の外交戦略には、常に熱心な兄が、この頃はあまり動かない。小一郎に留守を命じてしばしば城を空けるのは今まで通りだが、その行き先はもっぱら小牧の織田信長のもとであり、時には女遊びも含まれている。

それ以上に、小一郎にとって不可解なのは竹中半兵衛である。この白面の青年は、二、三度城内を回って、城塞の欠陥や補強の必要部分を指摘したり、兵の調練方法に意見を述べただけで、あとはもっぱら屋内にひっそりとしている。兄が在城する時には、よく二人で何事かを話し合っているが、その様子は年若い青年が中年の城代に教授している、といった格好だ。

「半兵衛とやらはお役に立ちますかな……」

蜂須賀正勝や青山秀昌らの実戦部隊長が、そんな皮肉な質問をした。軍議の席などで、半兵衛が兄の横に座って小一郎以下を見下《みくだ》す格好になるのが彼らにも不満なのだ。

「半兵衛殿は大きな策略を練っておられるのじゃ」

そう小一郎は答えた。だが、小一郎自身も、

〈あの男、ひょっとしたら兄の先生というのを本気にしておるのではあるまいか……〉

と疑問に思うこともあった。竹中半兵衛には、期待した西美濃衆への調略に精を出す様子が見られないのである。

三月になった頃、流石に小一郎はしびれを切らせ、

「舅御の伊賀守はいかがお過しですかな」

と、率直に訊ねてみた。だが、半兵衛はまじめくさった面で、

「元気と聞いております」

とだけ答えた。

「ほお、して、当分は動かれる気配も……」

小一郎は、一歩踏み込んだ質問をしようとしたが、半兵衛はそれを途中で遮って、

「もうすぐでしょう」

といい切った。

「もう、すぐ……」

小一郎は驚きと喜びにうろたえ、

「一体、どういう手をお打ちになったんで」

と訊ねた。これに対する半兵衛の返答は、一層小一郎を驚かせた。

「私が、こうしてここにおります」

小一郎はただただ舌を巻いた。だが竹中半兵衛のこの言葉は、ただの大言壮語ではなかった。

三月の末になっても、斎藤方の来襲はなかった。軍事行動に適した田植前の農閑期なのに、斎藤勢は全く鳴りをひそめている。自領の中に敵の橋頭堡を造らせ、攻撃さえし

ないというのは政治的にも大きなマイナスだということぐらい、斎藤龍興も分っているはずだ。たとえ、何かの事情で、この墨俣には来たくないのなら、一昨年奪われた東美濃に動くとか、せめて木曾川筋に示威運動をするとか、何かすればよさそうなのに、一向に動かないのである。

それに引きかえ、兄・藤吉郎のもとに出入りする使者の往来はまたぞろ盛んになり出した。だが、今度は、今までのように小一郎をわずらわすことは少ない。竹中半兵衛がそれをしているからである。

〈いよいよ、半兵衛も働き出したようや……〉

小一郎はこれに満足した。そのうちに、半兵衛の姿が城内から消えた。それについては、兄も特に説明はしなかった。

「小一郎よ、喜べ……」

四月半ばの夜半、突然、兄が小一郎の部屋に来て、そう叫んだ。

「何をや……」

眠りから覚めた小一郎は、声の方を見てはっとした。手にした燭に下から照らされた兄の顔は奇怪なほどに緩み、かつ緊張していた。大きな喜び、それも綿密な謀事を成し遂げた人間だけが持つ底意のある喜悦が、兄の小さく皺《しわ》深い顔一杯に拡がっていたのである。

「ま、ま、来い。来れば分る……」

兄は、小さな手をひらひらとさせて小一郎を呼び招くと、そそくさと広間の方に消えた。そのあとを追って、広間に入った小一郎は、もう一度、立ちすくむ思いがした。

ほの暗い行灯《あんどん》の前に、いつの間にか戻った竹中半兵衛が無表情で座っており、その横には見知らぬ男が三人、緊張した面持ちで胡座《あぐら》をかいていた。灯火の近くにいる半兵衛の白い顔と暗い部分に並ぶ見知らぬ男たちの赤黒い顔とが対照的で、異常な雰囲気を作り出していた。だが、それ以上に小一郎を驚かせたのは、半兵衛の膝の前に拡げられた三枚の紙片であった。

赤味を帯びた黄色い線が複雑な柄を造る紙面の上に、黒々とした文字が並び、末尾にはどす黒い朱色の血点がついている。

〈誓詞……〉

一見して小一郎にはそれが分った。熊野権現か何かの宝印を押した紙に起請文《きしょうもん》を書き、花押《かおう》を認《したた》め血印を押すのが、この当時の誓詞の定まった形式である。

「安藤伊賀守守就殿、氏家卜全殿、稲葉一鉄殿の三人衆がみな、織田家に御加担下さることになったんじゃ……」

兄が、はやる心を抑えかねるように早口でいったが、息がはずみ、言葉は短く途切れた。

「まことか……」

小一郎は、思わず叫んで、半兵衛とその後の三人を見た。

「まことです……。御三家よりこのように重役方が御越し下されております」

竹中半兵衛は、無表情のまま静かに呟いた。

安藤守就、氏家卜全、稲葉一鉄の三人は、いずれも道三入道以来三代にわたる斎藤家の譜代であり、西美濃三人衆と呼ばれるその方面の最有力豪族である。この三人が織田家に寝返ったとなると、永禄六年以来の東美濃攻略と相まって、美濃の両翼が織田家に帰属したことになる。美濃の国主・斎藤龍興はほとんど孤立し、稲葉山城は裸同然になったわけだ。永禄三年以来続けて来た織田信長の美濃攻略作戦は、これによって九分通り完成したといってもよい。兄・藤吉郎が狂喜したのも当然だ。

〈それにしても、舅の安藤だけではなく、氏家、稲葉まで一挙にひっくり返すとは、大した奴だ……〉

小一郎は、竹中半兵衛の顔を今更のように見返した。半兵衛は、何の表情もない白面を真正面に向けたまま、細い切れ長の目を小一郎の方に流していた。

三

信頼できる史料によって、竹中半兵衛重治が木下藤吉郎秀吉に仕えた時期と経緯を裏付けることは、実はできない。のちに太閤・豊臣秀吉となる藤吉郎の前半生の名軍師として名高いこの男が、いつ、どういう形で木下家の家臣になったのかを伝える当時の文書は、現存しないのである。

竹中半兵衛が木下藤吉郎秀吉の部下として行なった事で、確かに分っている最初のものは、元亀元年（一五七〇）七月、秀吉が浅井長政を攻めた時にその先鋒として手柄があったというものだ。

秀吉創業の家人に関する貴重な文献として知られるものに、近江・竹生島《ちくぶ》の宝厳寺に現存する「竹生島奉加帳」というのがある。これは、秀吉が羽柴氏を称して近江北三郡十二万石の大名であった天正四年（一五七六）から約二年間にかけて、宝厳寺に寄進した人々の奉加記載帳だ。ここには、秀吉はじめ三十三人の名がある。寄進の高は秀吉が百石、竹中半兵衛は二石。半兵衛の寄進高は、木下孫兵衛家定（秀吉の妻ねねの兄）の十石に次ぐ。

ほかには神子田《みこだ》半左衛門、杉原小六郎、寺沢藤右衛門らが銭五百文、浅野長政、石川杢兵衛、沓水吉之進らが一石である。寄進高と地位、封禄が比例していたとは限らないが、当時の木下家における各人の封禄を推定する目処《めど》とはなるだろう。従って竹中半兵衛の禄は一門の木下家次より低く、他の誰よりも高かったと考えられる。

なお、この奉加帳には小一郎秀長の名は見当らない。恐らく秀吉自身と一体とみられていたので、別途の寄進はしなかったのだろうが、「この人」の地位が木下家次よりはるかに上位にあったことは間違いない。

木下藤吉郎と竹中半兵衛との出会いについては、古書や現代の学者の間にも諸説がある。

一説では、稲葉山城を斎藤龍興に返還したあと、一時近江の浅井長政に投じていたが、永禄十年、織田信長が斎藤龍興を討滅して美濃を平定したあと、はじめて信長に謁してその麾下《きか》に加わり、のちに信長の命令によって木下藤吉郎秀吉の手に属するようになった、とされている。

これでは、半兵衛が木下家に入ったのは永禄十一年以降ということになり、前述の浅井攻めあたりが最初の働きということになる。竹中半兵衛が稲葉山城返還後、斉藤龍興の報復を避けて西美濃山中ではなく近江浅井氏に身を寄せていたことは大いにあり得るが、藤吉郎との出会いを永禄十一年以降とするのは遅過ぎるような気がする。

多くの古書は、永禄十年八月の織田信長による稲葉山城攻略の折に、竹中半兵衛が木下藤吉郎の参謀格として活躍していた、と記している。年月にすれば前説との差は僅か一年ほどだが、この間に織田家の美濃攻略があったことを考えれば、半兵衛の存在意義には大きな違いが出てくる。

竹中半兵衛に対する藤吉郎秀吉のその後の信頼ぶりと高位の扱いを見ると、こちらの方がはるかに納得し易い。そして、もし、稲葉山城攻撃時に竹中半兵衛が木下陣営の参謀格として活躍していたとすれば、それよりも少し前に行なわれた藤吉郎の西美濃三人衆調略に際しても、この知恵者が協力していたに違いない。何しろ、西美濃三人衆のキーマンともいうべき安藤伊賀守守就は、竹中半兵衛重治の舅であり、稲葉山城乗っ取り事件の共犯者なのだ。恐らく、竹中半兵衛は、まず木下藤吉郎秀吉と知遇し、西美濃三人衆を調略するという手柄を立てた上で信長に仕え、改めて藤吉郎に与力することになった、と見るべきだろう。半兵衛ほどの知恵者が何の手柄もなく信長に仕えることの不利を知らぬはずがないからだ。そして、そんな経緯があったればこそ、半兵衛に対して秀吉は信頼と高禄を与えたのであろう。

さて……。

西美濃三人衆の寝返りによって、斎藤龍興を孤立無援の状態に追い込んだ織田信長は、美濃攻略の総仕上げにかかった。

だが、ここでもなお信長は、慎重に行動した。孤立したとはいえ、なお斎藤方には一万の兵力があり、主城の稲葉山城は要害堅固な名城である。うかつに攻めて陥せなければ、西美濃衆もまた、織田家を捨てるかもしれない。世は変転常なる戦国乱世だ。何としても一戦でこれを陥し、圧倒的な武威を示さねばならない。

信長は軍備を整え作戦を練った。

七月になると、

「三河に騒乱の影あり」

という噂を濃尾一帯に流させた。

尾張の東、三河の国の最有力大名は松平家康（のちの徳川家康）である。この男は、永く今川義元に属したが、桶狭間での義元敗死を機会に自立し、その後は織田家と同盟を結んだ。このため、信長は西と北に進み、家康は東の遠州に伸び、互いに争うことがなかった。

この年、五月二十七日、かねてから婚約中であった信長の娘・五徳（徳姫）と、家康の長子・信康との婚儀も行なわれ、両者の結合はますます強まっている。逆にいえば、三河で騒乱があれば、徳川の後ろ楯として織田が出兵することは大いにあり得る状況になっていたわけだ。

果して、七月末、三河出陣の触れが織田家全軍に出された。墨俣城にいる木下藤吉郎のもとにもそれは来た。

「三河御出陣につき、総兵何時なりとも参陣できるよう御準備ありたい」

というものである。

「いよいよ斎藤龍興めにとどめを刺す秋《とき》が来たわ……」

兄・藤吉郎は迷うことなくそういった。東の三河に征《い》くのなら美濃の敵中にある墨俣が総兵挙げて参加することはない。敵は斎藤に違いないと簡単に推理できる。

これはもちろん当っていた。七月末、小牧山に参集した一万数千の兵は急旋回して木曾川を渡った。同時に、墨俣の木下組も城塞を捨てて出動した。これには小一郎も竹中半兵衛も従軍した。もはや、墨俣に有能な留守居を置く必要もない。稲葉山城を陥し斎藤氏を亡ぼせば、墨俣城など無用になるのである。

兄は大いに張り切っていた。木下組全員、大いに士気が上っている。勝てば恩賞にありつけることは確実であり、失敗すればまた、つらい敵中橋頭堡の守備を続けねばならない。誰もが功にはやる条件が整っている。その上ここには断然有利な情報源がついている。稲葉山城を数カ月間占領していた竹中半兵衛だ。半兵衛は城の構えを隅々まで知り尽しているはずである。

木下組は、第一の功名を目指して、織田軍の先頭を進んだ。だが、彼らが稲葉山城下に到った八月一日午後には、既に戦闘ははじまっていた。先に寝返った西美濃三人衆、安藤守就、氏家卜全、稲葉一鉄の軍勢が、長良川沿いに布陣して弓・鉄砲を射かけていたのである。

織田信長は、この有利な状況に気をよくして総攻撃を命じた。柴田勝家、佐久間信盛の部隊が峰伝いに接近し、信長の本隊が正面から攻めたてた。その間に木下組は間道から城下に突入し、城兵が「敵か味方か」と戸惑ううちに火を放って外曲輪《そとぐるわ》を焼き払った。

木下組がこの奇襲に成功したのは、勝手知った竹中半兵衛の指示があったからだろう。

この結果、斎藤勢は稲葉山の中腹以上に追い上げられる形となり、外からの救援の望みが絶たれてしまった。それでもなお、稲葉山城は十五日間持ち耐えた。日本史の攻城戦としては短い日数ではない。

永禄十年八月十五日、遂に力尽きた稲葉山城は降伏し、斎藤龍興は生命だけを許されて、伊勢の長島に落ちて行った。ここに、ほぼ七年を要した織田信長の美濃攻めは、完了したのである。

この戦いにおける「この人」の活躍は目覚しいものであった。城内将兵の誘降や作戦協議のために信長の本営に詰めることの多かった兄・藤吉郎に代って、千五百の全員を指導していささかの遺漏もなかった、という。

『絵本太閤記』には、木下藤吉郎が間道伝いに稲葉山上に登って城内に斬り込み、瓢箪を打ち振ったのを合図に、城外にいた小一郎が部隊を率いて攻め込んだ、という話を書いているが、これはおもしろ過ぎる脚色である。もちろん、その途中で木こりの堀尾茂助(吉晴)に出会って部下にしたというのも嘘である。

だが、この戦いのあとで、竹中半兵衛が、

「我が殿はよき弟御を持たれた」

といったというのは本当だろう。半兵衛のこの言葉には、戦場における指揮能力だけではなく、新入りの半兵衛と歴戦の部隊長たちとの仲を巧みに取り持った小一郎の補佐役としての働きに対する讃美も含まれていたはずである。

「天下布武」走る

一

「いや……もう……信長様の凄まじさよ……」

長い評議の席から戻った兄・藤吉郎が、むっつりとした表情で呟いた。永禄十年（一五六七）八月十七日の夕方、占領したばかりの稲葉山城（のちの岐阜城）外曲輪に張った木下組の野営陣屋でのことである。

「はて……殿様は何と申された……」

小一郎は心配になって訊ねた。昨日は、戦勝の祝宴で「美濃攻め第一の功名」と賞められたと喜び勇んで帰って来た兄が、今日は打って変って疲れ果てた顔付きになっている。常に多弁で陽気な兄には珍しいことだ。

「いやさ、小一郎……。信長様はな、明朝早々伊勢に向かって御出陣なさるちゅうんじや……」

兄は、尖った肩を激しく上下させて、何度も溜め息をついた。

「何、明朝伊勢に御出陣」

小一郎は驚き、慌てて声を潜めた。

「伊勢で、何ぞ大事が起きたんか……」

「別に何も……」

兄は、腹立たし気に首を振った。

織田軍が、この稲葉山城を陥したのはつい一昨日のことだ。それも、月初め以来半月、一櫓一郭をめぐって激戦を展開し、夜を日に次いで猛攻を繰り返したうえ、斎藤龍興らを無事に伊勢長島に落すという条件でやっと開城せしめたのだ。城攻めの実戦に参加した諸隊は少なからぬ損害を受けたし、後詰めの部隊も昼夜の警戒に疲れている。信長自身にしてからが疲れ果てているはずだ。

その上、城攻めのあとの残務整理も大変だ。戦死者の埋葬、負傷者の手当てと後送、降伏した斎藤方の後始末と忙しい。一部の地侍は帰郷させ、他の士卒は織田家の各隊に編入する。さらに接収した敵側の兵糧や金銀の管理と分配などもある。

続いては、今なお頑固に抵抗しているいくつかの敵城を誘降するため、降将たちを派遣する。これには織田家の部隊が同行し、万一の場合には攻撃、陥落させねばならない。

同時に占領地の百姓、町民を安堵させ、帰還を促すことも大事だ。戦火を避けて流出した住民を長く放置すると、田畑や城下の町が荒廃し、あとの統治がやりにくい。このため、部隊を分派して落武者の乱暴を取り締ると共に、布告を発して住民を呼び戻す。村々に高札を立て、侍大将たちに戦さの終了と新領主の寛大な統治方針を触れ歩かせるのである。

美濃一国という大きな戦果を上げた以上、二、三カ月はその整理にかけるのが常識であり、余程の重大事件でもない限り兵を休ませるのが普通である。それなのに信長は、中二日置いただけで、もう明朝は伊勢に出陣するというのだ。流石の木下藤吉郎秀吉も不機嫌になるのは当然だろう。

「信長様は、どんな時にも好機を逃さぬお方なのよ……」

兄が、苛立たしい気持をそんな言葉で表現した。織田家は総力を上げて美濃を攻め、これを占領した。当然、二、三カ月は動かぬものと考え、伊勢の侍たちは油断している。こういう時こそ攻略の好機だ、というのが信長の論理らしい。

「なるほど凄まじいなあ」

小一郎は舌を巻いた。こういう常識とは逆の発想ができる所こそ信長の天才だろう。だが、それを実行しようという気迫と精力とにはもっと驚かされる。

「それでな、小一郎……」

兄は、ジロリと充血した目を向けて続けた。

「我らもお供を仰せつかったわ。明朝、ここを引き払って伊勢に向かう……」

「何、我らもお供を……」

小一郎は仰天し、次いで腹立たしい気分になった。木下組はこの一年間、敵中の橋頭堡・墨俣城の守備に当り、戦闘と緊張に明け暮れてきた。しかも、今度の稲葉山城攻撃では先手の一つとして大いに働いた。当然、将兵の損害も多く疲労も深い。部隊の再編成と兵士の休養に、少なくとも四、五日はかかる。そんな木下組を、明朝すぐ出陣させるというのは、あまりにも酷な仕打ちだ。

〈なにもうちの組を使わんでも、今度の戦さに参加せなんだ者も大勢いるやないか……〉

小一郎はついそんな不満を持った。それには、組の将兵をどう納得させればよいのか、という心配も伴っていた。

「それで、兄者は黙ってお引き受けしてきたんか……」

小一郎は、ついそんな質問をしてしまった。

「あほう。殿の御命令じゃぞ。百姓仲間の寄合い談義と違うわ」

兄・秀吉は怒鳴った。武士である以上殿の命令は絶対であり、これに不服を申し立てるのは抗命つまり反逆である。百姓が寄り集って野良仕事や道普請の相談をするのとはわけが違う、というのである。

理屈はその通りだ。しかし、この時の言い方は、人使いの巧みな秀吉には珍しく角があった。当時としては中年といってもよい二十二歳まで百姓だった小一郎に対して、「百姓の寄合い談義と違う」というのは露骨な嫌味だ。

一瞬、小一郎も血ののぼるのを感じた。何しろ一昨日まで矢弾をくぐり、血潮を浴びていたのだから、温和な「この人」とて殺気が抜け切っていない。だが、小一郎は辛うじて怒鳴り返したい衝動を抑えることができた。主役が苛立っている時、感情を抑えることも補佐役の芸の一つだ、と小一郎は自分にいい聞かせたのである。

「いやあ、重ねて出陣を仰せつかるとは名誉なこっちゃ。みなにも用意させよう」

小一郎は、わざと大声でそういった。周囲のものにもこれを聞かせておこうと考えたからだ。

「うん、そうしてくれ」

兄はそういい捨てるとまた、陣屋を出て行った。信長のもとに戻り、明日からの伊勢での作戦を練るのだろう。

小一郎はすぐ、木下組の組頭（部隊長）を集めて、明朝の出陣を伝え、その用意を命じた。案の定、組頭たちはみな不満顔になり、次々と質問が出た。城攻めで戦死した者の補充はどうするのか、負傷者の看護はどうするのか、武器や具足の破損・喪失はどこで補い繕うのか、使い果した矢や鉄砲弾はどうしてくれるのか、兵糧の不足はどうするか、等々である。

小一郎は、これらに考えられる限り丁寧に答えたが、一同は容易に納得しなかった。時には、小一郎自身も返答に窮することもあり、次第に険悪な雰囲気になっていった。そして遂には、

「今夜徹夜しても用意ができかねる。明朝の出陣など到底無理じゃい」

と、言葉汚くののしる者さえ現われた。

「何を申すか……」

この時だけは、小一郎も大声で叱った。

「もし、斎藤龍興が決死の覚悟で刃向こうておれば、今なおこの城も陥ちず、今日も明日も我らは戦さを続けねばならなんだかもしれん。これでもお前らは用意ができん、明日の戦さはできんと申すか、それを思えば明朝の出陣ぐらいできんことはあるまいが……」

これにはみな、黙らざるを得ない。だが、口は黙っても不満の表情は消えない。

〈これはいかん……〉

小一郎も困った。木下組の将兵はほとんど織田家の家臣で、藤吉郎秀吉に与力として貸し与えられているだけだ。もともと小一郎とは上下の関係がない。

「木下秀吉様ならとも角、あんたに怒鳴られる筋合いはない」

といい出されたらそれまでである。

その時、脇からよく通る声がかかった。

「まあ、細々《こまごま》とした事は小一郎殿におまかせして、我らは身一つ出発すればよかろう。武士は戦場でこそ働くものよ」

居並んだ組頭たちの無精髭と戦塵に汚れた顔が、一斉にこの大胆な発言者の方を見た。白面痩軀の青年、竹中半兵衛重治である。

「さようか、小一郎殿が雑務はみて下さるか。ならば、わしらももうひと働き、槍を振うてくれようかい」

末座の方で、そんなことを聞こえよがしの大声でいった者があった。赤ら顔の大兵《たいひょう》の侍、墨俣守備についた時、織田家より与力として加えられた神子田《みこだ》半左衛門正治《まさはる》という足軽大将である。脳もなければ節度にも欠ける。そのくせ小理屈が多く、藤吉郎や小一郎の言動をよく批判する。神子田肥前守という織田家古参の侍大将の息子だという誇りがそうさせるのかも知れない。ただ、この男にも取り柄がある。豊かな戦場経験と無鉄砲な勇敢さで戦場での働きは相当なものだ。扱いにくい「問題漢」だが、こういう男を巧く扱わねば戦力のある部隊はできないのである。

小一郎は、竹中半兵衛の出過ぎた発言にも、神子田半左衛門の武勇を鼻にかけた態度にも、むっとした。だが、竹中半兵衛の切れ長の目が子細あり気にまばたくのを見て、思い直した。

「さよう、怪我人の手当てや武具、兵糧の補いはこの小一郎が引き受けよう。みなは身一つ伊勢に向けて出発されればよい。組の者には酒など振舞うて早よう眠らせよ。些事に気を遣うな」

と、小一郎はいい切った。

「そうじゃとも。墨俣を守り、稲葉山攻めに先手を取った我らこそ、織田家第一の精鋭じゃ。我らが出なかったら伊勢も片付かんのじゃろうて」

神子田半左衛門がまた大声を出していた。心地よい発言とはいえないが、とに角これで一同は納得した。

〈やれやれ……〉

小一郎は、ひとまず安堵することができた。だが、同時に、長い前途の多難さも思わざるを得なかった。この調子で終生こき使われては身も心も擦り減ってしまう、と心配だったのである。

二

「小一郎殿、よう申された……」

組頭たちが退席したあとで、竹中半兵衛重治がそう囁いた。

「いやあ、お陰で助かった」

小一郎は自嘲の笑いを浮べていた。

「けど、このあとが大変ですな、雑事を引き受けた拙者は……」

「さよう。明朝までとなればお忙しい」

半兵衛は他人事のように呟き、いたずらっぽい視線を小一郎に向けて来た。

〈ははあ……、この男、俺を試しておるな……〉

小一郎はそれを直感した。竹中半兵衛は、兄・藤吉郎秀吉より七歳、小一郎より四歳の年下だが、常に「教師」の態度で接してくる。自らの才知を誇り、一段高い立場から他人を試したり、教えたりする優越感が大好きなのである。この意味では半兵衛もまた、一種扱いにくい男であり、家中にもそれを批判する者が多い。

だが、小一郎は一切それを気にしないことにしている。とに角、今の木下組にとっては、この知恵者を働かす事が何よりも大事だ。

「明朝までに雑務を片付けるなどとても無理ですから、誰ぞに一隊をつけここに留め、残務はまかせようと考えておりますが……。いかがでしょうかな、半兵衛殿」

小一郎は、半兵衛の顔を覗き込むようにして、そう訊ねた。この種の男を喜ばせるのには七十点の所まで答え、残りは相手に語らせるのがよい、とかねがね兄から教えられていたからである。

「さよう、それに限ります」

半兵衛は満足気にうなずいた。

「して、その留め置くのは誰がよいか……」

小一郎は思惑顔で呟いた。

「ふん、それは……」

半兵衛は、背を伸ばして一呼吸してから、

「木下七郎左衛門殿がよろしかろうかと……」

と答えた。小一郎の思惑と同じだ。木下七郎左衛門は、兄・藤吉郎秀吉の妻・ねねの伯父に当り、木下組では最年長だ。戦場で武勇を競うのは不得手だが庶務は手堅く、怪我人の世話や物品管理などは安心してまかせられる。

「やはり、七郎左衛門殿……」

小一郎は、半兵衛の挙げた人選に感心したようにうなずいて見せた。ここまでは、「この人」の演技だったといってよい。だが、その次に半兵衛がもらした言葉には本当に感心させられた。

「槍の補いや矢弾の追加は、道々なさればよろしかろう。今度の伊勢の陣では、我らが戦さをすることもあるまいと思われますでな」

竹中半兵衛は、独り言のようにそう呟いていたのである。戦場に向かう戦闘部隊が「戦さをすることもあるまい」というのは誠に常識ばなれした予測である。だが、それが適中した。

木下組は、織田軍団の長い隊列の後尾を歩き回っただけで、戦さらしい戦さはほとんどしなかった。美濃攻めでは後詰めに回っていた滝川一益の組が、ここでは先手を務め、たちまちのうちに楠城を陥し、山路紀伊守を高岡城に封じ込め、その支城のいくつかを奪ってしまったからだ。

数年来、滝川一益の行なってきた地侍に対する調略の功もあったが、相手の油断を衝いて大軍を動員した信長の電撃作戦の効果も大きかった。突如、万余の大軍が出現したというだけで、北伊勢の小豪族は戦意を失ってしまったのである。

「竹中殿の読みには感服しましたわい」

伊勢に入って七、八日経った時、小一郎はそういって半兵衛を讃えてみた。

「いや、これほどなれば拙者でも……」

半兵衛は、威張りもしなければ謙遜もせず、さらにもう一つの予測を加えた。

「あと一両日でこの作戦も終りましょうな……」

これは、少々奇をてらった予測に思えた。戦いは圧倒的に有利であり、敵は二、三の城に封じ込めた。とはいえ、山路紀伊守を討ち取り、神戸《かんべ》具盛を降伏させせられるのにはどう見ても十日はかかる。あと一両日といえば、それをせずに戦さを終えることになる。だが、これがまた的中した。翌々日、織田信長は、全軍に美濃へ引き揚げるよう命じたのである。

「あと一押しで北伊勢全域を平定できようものを……」

と、戦闘継続を主張する部将も多かったが、信長は、

「あとは一益にまかす。最早、北伊勢は熟柿じゃ。遠からず我が手に落ちて参るわ」

といって、取り合わなかった。

敵を痛撃すると無理に領地を奪わずに引き揚げ、相手の内紛と衰弱を待つのは、織田信長が終生多用した戦略である。信長はこの手で、朝倉、浅井、武田らの強敵を、最少の犠牲で討ち亡ぼすことに成功した。激烈な速攻と同時に、こういう「待ち」の戦略も使えた所に信長の精神的強靭さがうかがえる。この革命児は、領地の完全征服を目指すと共に、地侍や領民に慕われる大名を力ずくで叩き潰した場合、あとの統治がやり難いことにも気付いていたのだ。おそらく信長は、戦争と征服とに、コスト概念を持ち込んだ最初の日本人であったろう。

果して、織田信長が引き揚げたあと、北伊勢の諸豪族は内紛と分裂を繰り返し、一つ一つ滝川一益の調略と攻略の好餌となっていく。このため、翌永禄十一年二月、織田信長が再度出馬したときには、織田家に抗戦するほどの勢力は北伊勢にはほとんどなく、

この方面最大の豪族、神戸氏もあっさり降伏してしまう。

信長は、自分の三男・信孝を神戸家に養子として押し込み、次いで神戸具盛を隠居させて信孝に家督を継がせた。つまり、神戸家を亡ぼして所領を奪うのではなく、所領もろとも神戸家そのものを乗っ取ったわけだ。中小豪族が多数分立している伊勢を治めるのには、名族・神戸の名を利用する方が有利——つまり、コストがかからない——と判断したのである。

三

永禄三年以来満七年を要した美濃攻めが完了したその瞬間に、北伊勢に軍を進めた織田信長の行動は、いかにも性急に見える。濃尾二カ国、百余万石を持つに至った織田家にとって、北伊勢の山路家や神戸家はごく小さい存在であり、慌てて攻めずともいずれは降服してきたに違いない。

だが、これを敢えてしたのには、信長一流の長期計画と巨視的展望があった。それは、この時既に、信長の胸中に「天下布武」の大構想ができていたということであり、北伊勢での短い軍事行動も、巨大な天下取りの予定表に書き込まれた一里塚だった。

恐らく、この年（永禄十年）はじめ、木下藤吉郎らによる調略工作が奏効し、西美濃三人衆が織田方に加担することが確実になった時点で、信長は美濃全国の平定が間近いことを確信したに違いない。そして、それと時を同じくして、「天下布武」の大構想を現実のものとして考えるようになったのであろう。

美濃を奪えば、京の都はもう間近だ。美濃と京の間には、近江一国があるだけである。しかも、この近江の北半分を領有する浅井長政は織田家の同盟者であり、信長の妹・お市の婿である。信長の上洛を阻むものは、南近江の六角氏と京を占拠している三好・松永の一党だけである。濃尾二カ国、三万余の軍勢をもってすれば、彼らを破ることはさして難しくもあるまい。

こういう軍事情勢と地理的条件を考えれば、美濃征服が現実味を帯びるに従って、信長の胸中に上洛＝天下取りの構想が湧いてきたのも当然だ。しかし、この大構想を現実的なものにしたのには、もう一つ、重大な要素があった。「足利十五代将軍」を名乗る足利義昭が、

「織田家のお力で正統を回復したい」

と申し入れてきたことである。

永禄年間ともなれば、足利幕府は全く有名無実となっている。それを象徴する事件が去る永禄八年の松永弾正久秀による十三代将軍義輝殺害だ。足利幕府の体制からみれば、番頭（細川家）の番頭（三好家）のそのまた手代でしかない松永久秀に屋敷を包囲され、

孤軍奮戦の末に斬られたというのだから、いかに主人（将軍）の権威がなかったか分ろうというものだ。

今、「織田家のお力で」などといっている足利義昭にしてからが、殺された将軍義輝の弟で、奈良興福寺一乗院の門跡をしていたものが、兄の死を聞いて脱走・還俗、十五代将軍を名乗ったに過ぎない。勿論、実力などは全くないばかりか、喰うにも実入りがなく、住むに家なき有様で、どこぞの気前のよい大名をそそのかして、三好・松永の徒を追わせ、京に幕府を再開させてはくれまいか、と若狭の武田家や越前の朝倉家を渡り歩いているのである。それでも、十五代続いた将軍家といえば、何かの利用価値もありそうだと見る者もいる。万が一にも巧く行けば大儲けだ。足利義昭本人が危険を冒して奈良一乗院を脱け出したのもそのためだし、これに従う荒木村重、明智光秀、細川藤孝（幽斎）らも同じ思惑から集った連中だ。要するに戦国乱世の政治的投機家集団である。

いつの世でも、投機業者は情報通だ。彼ら、足利将軍の一行も丹念に情報を集めていた。そしてその中で、尾張の新興大名・織田信長が間もなく美濃を取るだろうという情報を得た。

「消極的で態度の煮え切らぬ朝倉義景よりも、たとえ新興でも意気盛んな織田信長に頼る方が話が早いのでは」

足利義昭とその側近たちは、そう考えた。

この時、足利義昭が織田信長に目をつけたのは、誠に運命的である。だが、この事を信長に伝えに来た男は、もっと運命的な存在だった。美濃の旧主・土岐氏の流れと称する若禿《わかはげ》の中年男・明智光秀である。

「足利将軍義昭様は、只今、朝倉義景殿の庇護《ひご》のもと越前一乗谷におわしまするが、一日も早く逆臣を討ち、この世に正しき秩序を回復したい御所存にござります。当織田家は、かねてより忠節の心強く、武威四隣を圧すると聞くにつけ、尾張守（この頃、信長はこう称していた）様に深く御期待遊ばされております」

朝倉家の家臣から義昭の配下に転じて間もない明智光秀は、室町礼式に従って平身したままそんなことを回りくどくいった。信長はそれを不思議な動物を見るような目付きで見下ろしていた。伝統にも格式にも無頓着であった信長には、足利将軍も室町礼式も全く尊重する気持はなかった。だが、何事にも鋭敏な信長は、足利将軍の利用価値だけは正確に認めた。

〈奇貨おくべし……〉

信長は、こんな古い中国の諺《ことわざ》は知らなかっただろうが、下した結論はこれである。

「よし、その将軍様とやらはわしがお引き受けしよう。遠からず美濃を治め、上洛して三好・松永らの逆徒を討ち、願い通り御威光を再興して差し上げる」

織田信長は、頭の天辺《てっぺん》から吐き出るような甲高い声でそう答えた。『多聞院日記』が、永禄九年八月二十二日の項に、義昭の命を受けた信長が近江に出兵しようとしたが美濃路不安のため果せなかった、と記している所を見ると、明智光秀の来訪は、墨俣築城の直前であったらしい。

「将軍とやらが来れば、時を移さず上洛を果さねばならん」

将軍義昭を招く決心をした信長は、そう考えた。

将軍などというものは長く手元に置くと値打ちが下がる。あまり年月が立つと、上洛の口実に持ち出しても、「何を今更」といわれかねない。三好・松永に擁立された京の「偽将軍」義栄の権威が定着してもいけない。今はまだ、松永には前将軍を殺した悪名が色濃くまつわりついているが、やがてそれも薄れていくに違いない。いや、その前に、もたもたしているとまた、将軍が逃げ出さないとも限らない。今の天下には、甲斐の武田信玄や越後の上杉謙信のように、将軍を欲しがっている古風な大名もいるのである。

永禄十年の春から秋にかけて、美濃攻めと並行して、将軍を擁して上洛する外交的準備を、信長は進めていた。まず、第一は北近江の浅井長政との同盟強化である。この妹婿は、上洛途上の最重要地域に領地を持っている。何としても手なずけて置かねばならない相手だ。

「当家は永年、朝倉家に恩義がある。当家と誼《よしみ》を通じるにおいては朝倉家とも不可侵を約して頂きたい」

律義者の浅井長政はそんな条件を出して来たが、信長は二つ返事でこれを了承した。当面、越前を攻める予定がない以上、朝倉領の不可侵を約束するなど信長には痛くも痒《かゆ》くもない空文句に過ぎないからだ。

次には、背後を固めた。尾張の背後をなすのは三河であり、そこで一番有力な大名はこの年松平から徳川に改姓した家康である。幸い、徳川とは桶狭間の合戦のあと同盟関係になり、四年前には娘の徳姫（五徳）を家康の嫡男・信康に嫁がせる婚約もできている。徳川との同盟関係を再確認し、一段と強化する必要を感じた信長は、俄《にわか》にこの婚約を実行した。のちに、自分の夫（信康）を反乱嫌疑で実父に訴え、その生命を奪うことになるこの女性・徳姫が、三河に嫁入りしたのはこの年、永禄九年の六月二十七日のことである。

さらに信長は、その先にも手を打っていた。この前年、甲斐の武田信玄の嫡子・四郎勝頼にも養女の一人を嫁がせている。勝頼の正室は、関東の覇者・北条家の女《むすめ》であったから、信長の送った養女は側室の一人となったのであろう。養女とはいえ、息子に側室を送ってきたことで、誇り高い武田信玄はひどく満足した。旧式な価値観の持ち主であった武田家の人々には、それが甲斐源氏の嫡流・武田家と新興大名・織田家との「家格の差」を示しているように思えたことであろう。

実際、この時期、織田信長は武田信玄の機嫌を取り結ぶことに懸命だった。再三、甲斐に使者を送り、甲州武士が驚くほど大量の贈物を遣わした。書面の辞句もへり下ったものにし、時には信玄の家臣のような文言さえ使った。機能主義者であった信長は、贈物の多寡や書面の字句にこだわるようなことはなかったのだ。

木下藤吉郎秀吉が、木曾川沿いの墨俣城にあって、西美濃の豪族の調略や斎藤方の反撃に対する防戦に努めていた間に、織田信長の本営は、こうした大規模な外交にも精を出していた。

永禄十年八月後半、美濃を攻略した直後に信長が敢えて北伊勢で軍事行動を取ったのには、領地拡大という通常のねらいのほかに、来たるべき上洛に備えて領地の西を安全にするという意味があったのである。

だが、信長はなお安心できなかったらしく、この年の十一月二十一日には、自分の嫡子信忠と武田信玄の娘との結婚を策し、一方的に多額の金銭を結納として武田家に贈っている。しかも、さらにその先に位置する武田の宿敵、越後の上杉謙信にも再三使者を出し、贈物を送った。そればかりか、永禄十一年二月には上杉家の老臣・直江景綱にまで手厚い贈物をしている。上杉が武田の背後をなし、信玄の西上を抑える機能を果しているることを重視したのであろう。信長外交の用意周到さと露骨さは目を見張るものがある。

もっとも、それは、木下藤吉郎のような「現場管理職」の関与する所ではない。勿論、兄・藤吉郎の家来に過ぎない小一郎など、知る由もない雲上の大戦略であった。当時の織田家には、林通勝、内藤勝介、村井貞勝、武井夕庵ら、格の高い文官が数多くいたのである。

四

外交では卑屈なまでにへり下った織田信長だが、その意気は高く、心に定めた未来図はきわめて斬新かつ明確だ。戦国の英雄豪傑数多いといえども、信長ほどはっきりとわが求める天下のビジョンを示した者は他にいない。

織田信長の描いた未来図――それは「天下布武」、つまりこの島国に統一的な絶対王制を築こうというものだ。美濃を陥し、北伊勢を攻めた織田信長は、いよいよこの「天下布武」の大構想をはっきりと打ち出す。その第一は、新たな本拠とした稲葉山城を岐阜城と改名したことだ。

この名は、昔、周の文王が、岐山より興って天下を収めたのに因んだものといわれ、信長の天下征服の意図を打ち上げたものとされている。また、この頃から「天下布武」の印を使い出した事も知られている。現存するこの印の初見は、永禄十年十一月の日付のある兼松又四郎宛の文書といわれるから、美濃征服直後から使われ出したのであろう。

これと並行して、信長は内部の整備にも努めた。岐阜城と改名した稲葉山城を大々的に増築し、一段と堅固で華麗なものにした。城下の百姓に帰還を命じ、生産活動の回復を急いだ。さらに郡上《ぐじょう》八幡城主・遠藤慶隆の本領を安堵したり、崇福寺・美江寺に禁制を下したりして、民心の安定を図った。

だが、この間に信長の行なった最大の改革は、城下加納の市場を、「楽市場」とし、加納市場に移住する者には織田家の領地全域にわたる自由通行を保証したことである。のち（翌年九月の高札以後）には「楽市楽座」と呼ばれるこの政策は、尾張時代にも既に採用されていたが、ここではじめて全領国を対象とした制度として確立したのである。

これによって、岐阜の城下には濃尾の商人は勿論、領外の近江、山城さらには京、堺の商人も集り、商業が急速に発展した。諸国の産物が集散したばかりでなく、領内の産物もまたここを通じて諸方に売り捌《さば》かれ、領民の懐を潤した。それに伴って商人の出入りが激しくなり、各方面の情報も流れ込んで来た。木下藤吉郎、小一郎の兄弟が、天下の情勢を知る情報源の多くは、ここに出入りする商人であった。

〈美濃や三河だけを往来する連中から話を聞いていたのとはわけが違う……〉

織田家の情報官・木下藤吉郎の補佐役として、間者たちの持ち込む情報収集をも手伝っていた小一郎は、大きく拡大した情報網に目を輝かせ、

「信長様のお知恵の素晴らしさよ」

と感嘆した。

同時に、この楽市場の出現は、銭の流通を促進し、その有難さと恐ろしさを小一郎に教えた。尾張中村の百姓の頃から、銭というものに人一倍強い興味を持っていた小一郎は、米と土地とに密着したこれまでの経済思想に、いよいよ深い疑問を持った。

「武士も百姓もみな土地を奪い合い、米を蓄える。けど、銭さえあれば土地も米も要らんのではないか」

小一郎は、そんな素朴な疑問を持った。

「銭なら土地も持たず米も作らぬ楽市場の商人が大いに稼いでいる。それなら、土地を奪い合う戦さをせず、銭を作るのに精を出した方がええのではないか」

小一郎はそんな質問さえしたが、巧く答えてくれる者はいなかった。それだけになおのこと、この問題は小一郎の心中で色濃く淀んでいった。

しかし、この楽市場の実施にも、激しい影響が付きまとっていた。それは、商いの座株を独占することによって多額の収入を得ていた寺院や神社が目に見えて衰退し出したことだ。このため、美濃・尾張の宗教勢力は一斉に織田家に反撥、不穏の気さえみなぎった。中でもそれを露《あらわ》にしたのは、この頃大いに信者を増やしていた一向宗だ。

これを見て、織田家中にも動揺が起った。信長が、柄の悪い流浪人集団の傭兵隊を拡

大して行くのを快く思っていなかった織田家累代の重臣の中には、

「銭を集めて兵を増やされるのも結構じゃが、御宗門を敵に回されるのはいかがなものであろう。今や一向宗は伊勢、三河、越前、加賀は勿論、畿内から西国まで大きな力を持っておる。これを敵としては天下どころか、この濃尾を治めるのも苦労であろうが」

と囁く者も少なくなかった。

だが、信長はたじろぐことはなかった。この革命児の志向する「天下布武」は、武士が一元的に統治し、それ以外の勢力、とりわけ宗教勢力を世俗の事に介入させない、という意味があったからだ。織田信長が、やがてすべての既成宗教を敵として悪戦苦闘することになるのもこのためだ。織田信長が足利義昭を迎えたのは、こんな状況の中においてである。

永禄十一年七月二十五日、第十五代足利将軍義昭は、明智光秀の先導により、細川藤孝、荒木村重、三淵藤英らを引きつれて美濃立政寺に入った。

伝統と格式を誇る足利将軍と今や日の出の勢いの新興織田の結合――多くの人々はそれを至極当然のように見た。だが、これは、朽ち果てた保旧派の残渣《ざんさ》と絶対王制を目指す革命児との打算による合体に過ぎなかった。

足利義昭と織田信長の二人が、その時このことにどれほど気付いていたかは分らない。まして、木下藤吉郎やその補佐役・小一郎が、この歴史的矛盾を見抜くはずもなかった。

「いよいよじゃなあ……小一郎。織田家も将軍様を迎えるとは大きゅうなったもんよ……」

兄・藤吉郎は、無邪気に感激して細く短い腕をなでていた。だが、この兄も、それから僅か一カ月半のちの九月七日に、早くも織田軍団の上洛《じようらく》がはじまるとは思っていなかったであろう。

上洛

一

永禄十一年（一五六八）九月七日、織田信長は新たに本拠地とした岐阜城（旧・稲葉山城）を発し、上洛の途についた。

「真の将軍・足利義昭を奉じ、京洛に幕府の正統を回復する」

というのが、その名分である。

これは、立派な名分に違いない。室町幕府なるものは実在する。前《さき》の将軍・足利義輝を殺害した三好一族や松永弾正《だんじょう》久秀の一党でさえこれを否定せず、義輝の従兄弟・義《よし》栄《ひで》なる人物を担ぎ出して第十四代将軍を名乗らせている。

永禄年間ともなれば、室町幕府といっても全く実体がない。幕府の領地など疾《と》うの昔に消滅しており、財政収入といえば京都周辺の小さな商人仲間が納めてくれる口銭が幾らかあるという程度。家臣は将軍の取り巻き数十人という有様だ。多少とも有力な者はみな、自立して大名となっている。

畿内の連中はこの状態を知っているから、足利将軍など全然尊重しない。知恵者の松永久秀が義輝をあっさり殺してしまったのが、それを証明している。だが、遠国では違う。遠国の大名たちも幕府の衰退は聞いているし、将軍の命令など聞く必要のないことも承知している。だが、これほどに衰え切っているとも思っていない。ほかに信ずべき権威がないから将軍のお墨付きを大事にしたい気持がある。

丁度、十五世紀頃のローマ教皇と同じで、ローマでは市会議員クラスの小者が教皇選挙に無遠慮に干渉したりしているのに、ドイツやイギリスでは皇帝・国王たちが教皇の意向を気にしていたようなものだ。とかく、伝統的権威というものは、情報不足の遠隔地ほど保存状態が良好なのだ。

ここに、足利将軍の利用価値がある。将軍義輝を殺害した三好、松永の一党が、幕府を廃止せず、後継将軍を立てたのもこのためである。だが、それで「将軍殺しの逆臣」という悪名が消えるわけではない。いや、むしろ、後継将軍を立て、幕府を存続させたことで、彼らは自らの「反逆」を天下に自認したとさえいえる。幕府の存続する限り、征夷大将軍は「武門の棟梁《とうりよう》」であり、武士はみな「将軍の家来」という形になる。

要するに、目下京洛を占拠している三好、松永の一党は脛《すね》に傷持つ身なのだ。彼らを討伐する口実はある。そしてその口実を体現しているのが、「十五代将軍」を名乗る足利義昭だ。

足利義昭は、殺された前将軍・義輝の実弟に当る。今、三好、松永に担がれている義栄は従兄弟だから、将軍位継承の順位では誰がみても義昭の方が、優位にある。

「俺を担げば上洛して三好、松永を討つ名分ができる」

義昭は、自分の利用価値をよく知っていた。当然、これに目を付けてひと山当てようと考える者もいた。奈良一乗院の門跡《もんぜき》をしていた義昭を脱走させた細川藤孝や明智光秀らがそれである。

しかし、現実は甘くない。足利義昭の利用価値は畿内での小競合《こぜりあ》いには役に立たず、遠国の大名との外交戦略で心理的効果を持つだけだ。しかもこれを存分に活用するためには、まず上洛を果し、三好、松永を追っ払って義昭を将軍位に就けなければならない。つまり、足利義昭を使いこなせる者は、天下に号令する野心と全国的な外交戦略を練る構想力と三好、松永を追う軍事力を兼備した大店《おおだな》の主人でなければならないわけだ。

足利義昭らは最初、若狭《わかさ》の武田氏を頼ったが、十数万石の衰退大名ではどうにもならず、すぐ隣の越前・朝倉氏に乗り替えた。ここはまずまずの規模と伝統を持った老舗《しにせ》だが、主人の義景に野心と構想力が欠けており、義昭の利用価値も活用方法も知らなかった。

「このままでは値が下がる……」

焦った義昭とその取り巻きは、越後の上杉謙信に売り込みを策した。謙信も引き取る意欲はあったが、その領国は京に遠過ぎる。その上、宿敵武田信玄と意地を張り合ったような対立関係にあり、とても上洛などできそうにない。結局、彼らは、新興ながらも発展性のある尾張の織田信長を選ぶことにした。

これは一見適切な選択であった。今日、歴史の結末を知る我々が見ても、この時点で足利将軍を使いこなせた者は、この織田か、中国の毛利かのほかには見当らない。事実、足利義昭は、織田と不仲になったあとは毛利を頼っている。自分の利用価値を過大なほどによく知っていた義昭は、鋭い勘を持っていたのだ。

義昭を上回る鋭敏な政治感覚を持つ信長は、この話が持ち込まれた瞬間、足利将軍の利用価値と利用方法を悟って喜んだ。売込みに来た明智光秀や細川藤孝の功を大として高禄で召し抱えたほどだ。これによって光秀が得た禄は四千貫という。知行石高に換算すると約五千石、家老並みの扱いである。

因みに、美濃征服直後、木下藤吉郎秀吉に与えられた禄が二千五百貫というから、明智光秀はただ一回の商談で秀吉の十数年におよぶ生命がけの働き以上のものを得たことになる。信長は、足利将軍売込みをそれほどに高く評価したのだ。

もう一つ、これには重大な意味がある。これによって明智や細川は、将軍の近臣でありながら織田家の禄を食《は》む「二股家臣」になったことだ。のちの江戸時代のように、「二君に仕えず」という朱子学的儒教倫理は、この時代にはない。しかし、同時に二人の主君に仕えるというのは流石《さすが》に珍しい。恐らく信長は、

「わしが庇護する以上、将軍独自の家臣など不要だ」

と考えていたのだろう。信長のこのやり方は、父祖伝来の権威と将軍位の虚名で独自の野心を燃していた足利義昭とは思想的にも政策的にも相容れないものだった。この意味では、織田家を選んだのは義昭の宿命的な失敗であったともいえる。というより、そんな相手しかこの将軍を利用できる者がいなかったという事実こそ、時代の変化を示している。

織田信長は、足利将軍の利用価値を評価しても、足利幕府を実質的に再建するつもりなど全くなかったし、義昭という人物に興味も同情も持っていなかった。それ故、義昭の身柄を引き取るのは急がず、むしろその利用を最も効果的にする準備の方を急いだ。

〈わしが足利将軍を担いで上洛すれば、諸方の大名共はみな嫉妬に狂いおるであろう〉

それを考えると、信長は恐怖に身が震えた。かつて、上洛を企てた今川義元を桶狭間《おけはざま》に倒したこの男は、嫉妬がどれほど人間を奮い立たせるものかも、身をもって知っていた。

〈まず、大名どもを嫉妬させぬ手を打たねばならぬ〉

と、信長は考えた。

織田信長が、足利義昭を迎えるに先立って、三河の徳川、近江の浅井、甲斐の武田、越後の上杉らと婚姻を結んだり贈物をばら撒いたりしたのはこのためだ。卑屈なほどに下手に出たのも、彼らの嫉妬を和《やわ》らげる手段であった。

織田信長は、これだけの準備をした上で、ようやく足利義昭を美濃・立政寺に迎えた。しかも、この際にも、上杉謙信らには丁重な書面を送り、了解を求めている。信長が上杉謙信に出した永禄十一年七月二十九日付の手紙は現存している。この中で信長は、足利義昭を奉じて上洛することを承知した旨を書き、これを妨げないため武田信玄と徳川家康との間に和議が成立したから、謙信も信玄と講和して欲しい、と述べている。恐らく、同様の手紙は、武田にも朝倉にも毛利や尼子にも出されたことであろう。自分が天下の主になるなどおくびにも出していない。

さらに、八月七日には、南近江の六角承禎（義賢）の意向を打診すべく、信長自ら近江の佐和山城まで出かけて行った。六角は信長の意に応じなかったが、この間に浅井長政との作戦協議や朝倉家の意向確認も行なったに違いない。

織田信長の上洛準備は、実に周到であり大規模だった。その事は、外交だけでなく軍事の面でも現われている。信長がこの時率いた軍勢は、四万とも六万ともいわれている。尾張、美濃、北伊勢の総力を結集したほか、同盟軍の徳川家や浅井家にも援軍の提供を求めた。永禄年間の軍事行動としては例のない大軍である。

信長は、圧倒的な武威を示し、一挙に上洛しなければ諸方の大名から袋叩きに遭う危険がある、と考えていたのである。

二

九月七日、美濃不破郡平尾村に着陣した織田信長は、翌八日、近江高宮に到り、浅井長政の軍と合流、南近江に進軍した。

「枯葉を掃く如く……」

連戦楽勝の快進撃を、日本ではこんな譬《たと》えでいう。西洋の言葉では、

「ナイフでバターを切るように……」

という文字通りバター臭い表現になる。

この時の織田軍の凄まじい快進撃を表わすには後者の方がより適切だ。信長は、南近江、山城の諸城を一つ一つ攻略し、占領地を拡げて行くようなまどろっこしいことはしなかった。上洛途上の要衝だけを攻め陥し、ひたすらに京都を目指して急いだ。脇目も振らず真直ぐ心臓部《ハートランド》（最重要地点）を衝く、いわゆる「ハートランド戦略」を実に忠実に実行した、といってよい。

「ハートランド戦略」は、織田信長が生涯多用した得意手の一つである。この戦略で彼は、朝倉、武田、本願寺などの強敵を次々と屠《ほふ》る。だが、皮肉なことに、この男が亡ぶのも、敵（明智光秀）が極度に攻撃目標を絞った「ハートランド戦略」を採ったためであった。しかも、そのハートランドは信長自身のハート（生命）そのものだったのである。

第二次大戦においては、連合軍も枢軸軍も、この戦略を忘れ、死活の重要性を持たない地域の攻防に多くの戦力と時間を浪費した、と批判されている。戦国時代の名将は、近代戦略論の学習などしなくとも、二十世紀の官僚軍人よりはるかに正確な戦略思想を持っていたのだ。

さて、一カ月前、織田信長の協力要請を蹴った六角承禎は、在京の三好三人衆（三好長逸、三好政康、岩成《いわなり》友通）らと連絡し、信長の上洛を阻もうと、南近江の諸城を固めにかかっていた。だが、織田軍の出現が予想外に早かったので、防備態勢はきわめて不十分だった。

織田勢はまず、六角氏の重要な支城の一つ、箕作《みつくり》城を攻めた。九月十二日、申《さる》の刻（午後四時頃）に攻撃を開始し、その日のうちに陥落させている。午後四時の攻撃開始とは当時の城攻めとしては常識はずれの遅い時刻だが、その日のうちに陥落させたというのはまた、驚くべき早業だ。多分、戦闘は二時間ほどだったろう。

この城攻めの寄せ手には、佐久間信盛、浅井新八、丹羽長秀、そして木下藤吉郎秀吉の名が並んでいる。また、戦功の者としては、佐久間の部下・佐久間盛次、丹羽の部下・志津摩通氏、徳川から援軍に来ていた松平信一、および木下藤吉郎の部下・竹中半兵衛重治、蜂須賀正勝、木村隼人佑らが挙げられている。墨俣築城や西美濃三人衆の調略など、美濃攻略に大功のあった木下藤吉郎は、佐久間、丹羽らの重臣に比肩されるほどの地位に上っていたのだ。

この間、織田家の別働隊は、敵の本拠・観音寺城に向かい、翌十三日、六角承禎・義弼父子を伊賀に敗走させて占領した。織田信長は、迅速果敢な行動と大兵力を集中した猛攻とで、南近江をたった二日で攻略したのだ。これを聞いて三好三人衆は大いに驚き、京を去り西に退いた。翌十四日には、早くも正親町《おおぎまち》天皇から信長に対し、禁中警護の命令が下されている。

織田信長は、この様子を上杉謙信らに伝えると共に、家臣・不破河内を派して岐阜にいた足利義昭を近江に呼び、相共に京に入った。九月二十六日、足利義昭を美濃・立政寺に迎えた日からちょうど二カ月と一日目のことである。義昭にとっては、夢にも思わなかったほどに早い「夢」の実現だったに違いない。

しかし、織田信長にとっては、上洛は「夢の実現」ではない。目的でもなければ重要目標でもない。それは真の目的、「天下布武」のための一過程に過ぎない。

信長は休んではおれなかったし、休む気もなかった。この苛烈な武将は、京洛の保持を安定させるため、すぐ残敵掃討に向かう。九月二十九日には、天王山に近い勝竜寺城を攻略して摂津に進出、さらに和泉、大和にも兵を派遣した。

「織田信長上洛」

今日の歴史家は、これを一つのエポック・メーキングな事件としている。だが、当時の人々がそう思ったかどうかは疑問だ。恐らく大抵の者は、

「昨日の三好が今日は織田に替った」

という程にしか考えなかっただろう。それが間違いであることが判明するのは、革命的な信長の統治思想が現われてからである。

まず、この年十月、織田信長は摂津、和泉の寺社や町に矢銭を課した。これには大和の法隆寺のような伝統と格式を誇る寺院も含まれていた。特に、摂津と和泉にまたがる大邑《たいゆう》、堺に対して二万貫の矢銭を要求したことは、畿内の人々を仰天させた。

鎌倉、室町の昔から、有力寺社の多くは独自の領地を持ち、大名から自立した「王国」を形成して来た。財政的にも豊かであり、僧兵や社侍を蓄えてかなりの軍事力をも備えていたから、大名に年貢は勿論、寄附金なども支払うことは滅多にない。大名たちは、こうした宗教団体の富強をうらやましく思いつつも、その富力と武力と信者の反感とを恐れて手をつけなかった。いやむしろ、宗教勢力の歓心を買うため、進んで寄進を

行ない、領地を与えるのが普通だ。織田信長はそんな慣行をいとも簡単に踏みにじった。この革命的な合理主義者は、神仏の罰を恐れなかったばかりか、現世における寺社の武力や信者の反抗をも恐れなかったのである。

同じことは、堺に代表される都邑に対してもいえる。堺は、戸数二万の規模を誇るこの当時の日本最大の商工都市だ。内外との通商と各種製造業で大いに繁栄し、独立自治の市政を確立していた。町の政治は「会合衆《えごうしゅう》」と呼ばれる三十六人の豪商たちで運営され、他の大名の干渉を許さない。堺の財力と物資供給力を利用しようとする大名たちも、敢えてこれを侵そうとしない。その上、この町は、万一に備えて武装している。町全体を堀で囲み、多数の浪人を雇ってこれを守らせているのだ。町人もみな武器を持ち、特に鉄砲の所有数はどこの戦国大名にも劣らぬ。治安の悪い山野を往来し、海賊の横行する海を押し渡る当時の商人にとって、武器はごく身近な必需品だ。町人が丸腰になるのは徳川幕府の成立以後のことである。

それだけに堺は抵抗した。矢銭二万貫を出さなかったばかりか、わざわざ九人の代表団を岐阜に送って断りを言上させたのだ。だが、織田信長は、この堺の伝統と誇りに対しても何の敬意も払わなかった。「天下布武」を政治の要諦とした信長の理想には、中世的な権威の残存も、地域自治の存続も入り込む余地はなかったのである。

「織田信長とは恐ろしい大名だ。乱暴な伝統の破壊者だ」

そんなイメージが、畿内の人々の間に急速に拡まった。信長は、保旧派の寺社勢力ばかりか、新興都市商人をも敵に回すかに見えた。

その一方で信長は、足利将軍義昭を不安がらせることもした。この年十月、織田信長は早くも足利将軍の権威を否定する動きを見せはじめる。まず、十月八日、信長は宮中に対して銭万疋《びき》を献じた。当時、宮中の財政は苦しかったので、百官ことごとく大いに喜んだ。信長は、足利将軍をとばして、直接、宮中に接近し出していたのである。

しかし、この間にも、信長は近代国家形成の基礎をなす政策を次々と行なっていた。領国中の関所を廃し、広域的に楽市楽座を実施する方針を明らかにした。この結果、関所の通行税や座の口銭を大きな収入源としていた寺社や村落共同体は経済面でも大打撃を受けた。信長は、これらの団体の持つ力を財政的にも絞め上げようと考えたのである。財源を失わせれば、僧兵、郷士の類も養い切れなくなり、軍事的抵抗力もなくなるであろう。織田信長の関所廃止と楽市楽座政策には、叛乱防止と集権的統治体制の確立というねらいもあった。だが、この政策の効果を直ちに理解できたものは少なかった。

僅か一カ月の畿内滞在ののち、十月二十六日に京を発ち、二十八日に織田信長は岐阜に戻った。占領後間もない美濃、北伊勢の状況も気懸りだったし、武田、上杉との外交問題もあって、長く本領を留守にするわけにはいかなかったのだ。

この際、信長は、京都における代理人として明智光秀、細川藤孝ら、伝統的な格式と人脈に詳しい者を残していった。この常識的な人選には、公家衆や足利将軍周辺の人々を安心させようとの配慮もあったろう。だが、慣習と権威を侵された畿内の旧勢力は、その程度のことで満足せず、直ちに反攻を企てていた。そしてそれには、矢銭を課された都市商人までもが加担していたのである。

三

「目出度いのお……この正月は……」

永禄十二年（一五六九）正月、岐阜城での祝賀を終えて戻って来た兄・木下藤吉郎は、一族の者を集めた内輪の祝いを催して、そう繰り返した。

二千五百貫の大禄を食《は》むようになった兄の生活は豪華である。岐阜城下に新築したこの邸も広大で、何十人もの家事使用人がいる。

「誠に……」

小一郎は、兄の大声に何度もうなずいた。全く夢のようだ。七年前の長屋暮しを思い出すまでもない。敵中の塞・墨俣城で迎えた一昨年の正月に比べても大違いだ。その頃の織田家の領地は尾張一国を多少はみ出した程度、敵地に孤立した墨俣では敵の襲撃を恐れて祝酒も飲めなかった。毎日を不安と緊張の中で過していた小一郎には、噂に聞く甲斐の武田や越後の上杉がうらやましく思えたものだ。

それが二年後の今はどうであろう。織田家の勢力は、美濃、北伊勢は勿論、近江、山城、摂津に伸び、和泉、大和の一部にまで及んでいる。墨俣などは織田領の中でもはるかに後方になっている。今、織田家が動員できる兵力は八万人以上、武田、上杉の三倍にも当る。

〈十年はかかるだろう〉

と思っていた上洛が、たった二カ月の進軍で実現した。今となっては丸七年間も斎藤龍興ごときを相手に勝ったり負けたりしていたというのが嘘のようだ。

「御本丸での御祝賀は、誠に見事じゃった」

兄は、今しがた終えた織田家の新年祝賀会のことを語った。年来の織田家の重臣のほか、美濃、伊勢、近江、摂津、大和から新付の武将も集った。朝廷と足利将軍からの祝使も来た。寺社や都の商人の代表も来て、贈物を献じた。信長はそれらを上機嫌で収め、例の甲高い声で応対していた、というのである。

「信長様は、早や天下人じゃ」

兄は、ふとそんな言葉ももらした。形の上では「天下人」は京にある足利将軍義昭だが、実質的には信長こそ天下人だという気持が織田家中には生れている。

〈織田家の発展は凄まじい……〉

小一郎もそう思う。そしてその織田家の中でも、兄・藤吉郎の出世は目覚ましい。禄は、この二年間で六倍に増え、実際上の権限はそれ以上に高まった。つい三、四年前までは、顔を見るのも恐ろしい雲上人だった佐久間信盛や丹羽長秀に匹敵するほどの人数を預けられているのである。

〈俺も……〉

小一郎は、忘れずにそれをも考えた。兄からもらう禄は二百五十貫、家来が三十余人、馬数頭と駕籠《かご》まで持つ身分だ。あまりにもとんとん拍子の栄達がかえって不安に感じる。

小一郎は、一瞬脅えた目で祝宴の座を見回し、一段と不安になった。どこの家でも主人の左右に居並ぶ叔父や甥、分家や従兄弟がここにはいない。本当に血のかよった身内の男といえば小一郎ただ一人。あとは兄の妻・ねねの実家や養家の者、姉婿と妹婿といった連中である。その上、兄は結婚して七年目なのに子供ができない。

「お世継ぎはまだかな」

小一郎は時々そういうのだが、これぱかりは兄も渋い顔で首を振るばかりだ。兄は、妻のねね以外にも側室を置いているが、そういう女たちからも世継ぎはできない。

「うんにゃあ、小一郎、お前頑張れや……」

兄は、そんな言葉を返すのだが、この点では小一郎もあまり威張れない。「この人」にもなぜか子が生れない。

兄は、この身内の少ない淋しさをまぎらわすためか、年賀の席にも母親のなかを招いた。半生を極貧のうちに過してきたなかは今、豪華な絹の衣服を窮屈そうに着て、小さく座っている。嬉しくも楽しくもない表情だ。はるかに長い間、貧しい百姓暮しをして来た老女は、小一郎以上に不安を感じているようである。

「母者よ、今にまた御加増頂けそうじゃぞ。な、小一郎……」

そんな母親の心中を知ってか知らずか、兄は盛んに夢をふくらませた。二千五百貫という今の禄は、美濃を攻め落した時に決ったもの、それ以降の働きと織田家の拡大に相当する分の加増が間もなくあるはずだ。兄は、そういいたいらしい。恐らく、自分以上の高禄を食む滝川一益や新参の身で四千貫を得た明智光秀に対する競争心が、兄の心中に燃えているのだろう。

〈無理をせぬことだ。どうせ跡を継がす子もないんやから……〉

小一郎は、そういってやりたい気がした。だが、万事に積極的な兄の前では、これは絶対の禁句である。だが、小一郎に代って、母親のなかが、同じ主旨のことを遠回しにいった。

「何も、出世を急ぐばかりが親孝行やないぞえ、藤吉郎……」

「ワハハ……」

これを聞くと、兄ははじけるような大声で笑って、

「心配するな、母者。信長様が天下を取られりゃ藤吉郎も大名じゃ。そうなったら、小一郎、お前も城持ちにしてやるぞ」

とはしゃぎ立てるのだった。

こうした楽天的なムードは、木下家に特有のものではない。この時期、織田家中全体に、昇り調子の活気があふれていた。これまで不服面だった織田家累代の重役たちさえ、織田家の急発展を我が手柄のようにいいふらしている。信長は、働きのなかった老臣にも多少の加増をしてやったのだ。急速な成長・発展は、組織全体を活性化し、多少の不満や摩擦を抑えてしまうものなのだ。

しかし、その直後、これに冷水を浴びせるような報せが飛び込んで来た。足利将軍義昭のいる京都本圀寺《ほんこくじ》が三好三人衆の軍勢に囲まれた、というのである。

四

織田信長の大軍に追われて、一旦は本領の阿波に引き揚げた三好三人衆は、永禄十二年正月早々、堺に再上陸。堺、尼崎などの町衆の支持を得て京都に侵入、正月五日、本圀寺に足利義昭を囲んだ。矢銭の賦課や特権消失に怒った町人たちは、三好を核に結束して反攻に立ち上ったのだ。

流浪中の美濃の旧主・斎藤龍興、長井隼人佑らもこれに呼応し、摂津高槻《たかつき》の城主・入江春景も三好に加担した。これは、誕生したばかりの織田政権が迎えた最初の危機であり、以後長く続く旧勢力との戦いの最初の事件である。

この時、京都に駐留していた織田家の兵力はごく少なく、本圀寺を守る明智光秀らはたちまち危機に陥った。その上、摂津内の織田方、伊丹親興、池田勝正らも高槻の入江春景に阻まれて救援に行けない有様であった。それでも光秀らはよく防戦し、十倍の敵を五日間も防ぎ通したのである。

正月六日夕刻、「将軍義昭様危急」の報せを受けた織田信長は、大雪の中を単騎駆け出し、普通三日の道程を二日に縮めて京に到着した。当初従うものはただ十騎だったが、やがて五万とも八万ともいわれる大軍に膨れ上った。桶狭間の奇襲を十倍にしたような奮迅ぶりだ。

この動員は、一万人あまりの三好勢を追い払うだけのものとしては、大袈裟すぎる。信長は、これを機会に畿内の完全制圧を考えていた。こういう火急の場合にも、政治の基本を忘れぬ所にこの男の強靭さが示されている。

この迅速な信長の行動によって、足利義昭は救われた。だが、救われたのは義昭の生命と地位だけで、その権限と権力は救われなかった。この年正月十六日、信長は、足利義昭に迫って「室町幕府殿中掟」を制定させた。将軍義昭が自ら定めた形式を採っているが、「公事篇内奏御停止之事」などという文言からも明らかなように、将軍の権限を制限するために信長が定めさせたものだ。

その代り信長は、将軍の体面を整えてやることにした。この年（永禄十二年）二月、立派な将軍の居館を京に築くと宣言したのだ。しかし、足利義昭なる人物は玉殿に住む操り人形の地位に耐えるほどお人好しではなかった。そして、その不満と怒りの矢面に立ったのが、木下藤吉郎・小一郎の兄弟だったのである。

深慮の貧乏くじ

一

永禄十二年（一五六九）春。京の街は活気と困惑に満ちている。

洛中は織田家の将兵と諸国から集った人夫たちで充満している。勘解由《かげゆ》小路室町真如堂跡で、大規模な工事がはじまっている。新将軍・足利義昭の居館を造る普請だ。

京の新しい支配者・織田信長は、しばしばここに現われ、自ら工事を指揮する。織田家の将兵も、手のあいたものはみな監督や手伝いに出動する。永い乱世にすっかりさびれた京の町が、久しぶりに活気を取り戻した。都の庶民は、それを嬉し気に見ながらも足早に通り過ぎて行く。そんな時、

「今度の織田はんちゅうお方は、えろう厳しいそうで……」

などと囁《ささや》き合う者もいる。この大名が、工事現場で通行の女人をからかった足軽をた

ちどころに斬り捨てた、という話はもう街中に拡がっているのだ。

確かに織田軍の軍律は非常に厳正だし、治安もこれまでになく良くなった。それは嬉しく頼もしいが、女をからかっただけで自ら刀を振って即座に斬り捨てたというのは苛酷すぎる。都の人たちは、信長のこの苛酷さが、いつの日か我が身に向けられるのを恐れている。

「信長様は、何ともお忙しいお人どすなぁ……」

別の所では、そんな声が流れている。公家、門跡など高貴を誇る人々だ。そんな時、彼らは決って皮肉な笑いを浮べ哀し気にうなずき合う。この当時、日本の思想界は仏教思想の影響下にあり、勤勉を尊ぶ儒教精神はまだ普及していない。都の人々は、勤勉を文化の乏しい田舎者の属性ぐらいに考え、織田信長とその部下たちのあわただしい動きを、やっと上洛できた「尾張の野蛮人」の興奮のせいだ、と思っているらしい。

実際、織田信長の働きぶりは凄まじい。昨年の九月、はじめて上洛した折には、京で休む間もなく摂津、大和、和泉に進出、三好の残党を追っ払うと共に、寺社や都市に矢銭を申し付けて廻った。関所を撤廃し近江の占領地で指出検地をはじめた。本圀寺の惣構え土手の改築はじめいくつかの工事を行なった。一方で戦さをしながら、他方では重要な内政改革を断行し、余力を持って京洛復興に着手する。正に八面六臂《ろっぴ》の働きである。

こうした信長の行動は、物資の流通を容易にし京の景気をよくした点で、庶民には喜ばれたが、関所からの収入や登録もれの土地から収益を得ていた寺社、小豪族には痛かった。勿論、矢銭を課せられた寺社・都市は大いに反撥した。

「まあ、そのうちに落ち着かはりますやろ」

都の貴人たちは、そう囁き合って時を待った。だが、今年の正月、再上洛してからの信長の動きは、それ以上である。阿波から反攻して来た三好三人衆を追い払うと、すぐさま足利義昭をして「室町幕府殿中掟」を制定させた。将軍が御教書を発する時には必ず信長の副状をつけよ、という露骨な傀儡《かいらい》化である。

その一方で信長は、将軍の居館・二条城の造営をはじめた。尾張、美濃、近江はもとより、伊勢、三河、山城、摂津、河内、大和、和泉、若狭、丹後、丹波、播磨《はりま》の十四カ国から人夫を集めるという大掛りなものだ。新将軍の外見を豪華に飾り立て、その権威を大いに利用しようという信長らしい計算である。

この将軍邸造営の御初鍬《ぐわ》が行なわれたのは永禄十二年二月二十七日だが、そのすぐ翌日、信長は畿内の人士を震え上らせるようなことをやってのけた。矢銭を拒んだ摂津尼崎を焼打ちしたのだ。「天下布武」、つまり強力な中央政府の樹立を目指す信長は、自治の伝統など尊重する気が全くなかったのである。

これより先、日本最大の商工都市・堺も信長に屈服した。去年、矢銭拒否の返答に行った堺の代表十人が岐阜城で逮捕投獄され、うち二人が脱獄のかどで斬殺されるという事件があった。堺の会合衆はこれに反撥して三好三人衆の反攻に手を貸した。阿波勢の上陸に港を利用させたばかりか、軍資金と鉄砲を提供したのである。だが、それも失敗に終ると市民の態度は逆転した。反信長派のべに屋、能登屋らの門閥豪商が表面から退き、親信長派の今井宗久、津田宗及らが町の代表格となった。堺の豪商たちは、新しい実力者・信長に取り入ろうとする政商と、政治から離れてひたすらに稼ぐノンポリ派とにはっきり取り分かれたのである。

堀と鉄砲と財力と情報機能をフルに使って、独立自治を保って来た商人の町にとって、二万貫の矢銭提供は懐よりも自尊心を痛めたことであろう。それでも、世故に長《た》けた商人たちは信長の派遣した上使衆、柴田勝家、佐久間信盛、森可成らを歓迎して茶会を催すのだった。天下三肩衝《かたつき》の一つといわれた大文字屋宗観所持の「初花」が、信長に贈られたのはこの時のことである。

次いで三月一日、信長は撰銭令を発布、さらに十六日には質の悪い鐚銭《びたせん》をも一定打歩（割引歩合）をつけて流通させるという追加条項を定めた。鐚銭全部を追放すると貨幣が足りず、流動性不足による流通阻害が起ると考えたからである。通貨制度の大改革を目指す撰銭令は、貨幣経済の普及と商工業の振興をねらった経済政策だが、容易に徹底しなかったとみえ、違反者の指を斬り落す乱暴な刑罰も行なわれた、という記録が大和に残っている。

織田信長が上洛して以来、京都・畿内の様子は急速に変りつつあった。古い仕来《しきた》りは容赦なく踏みにじられ、新しい制度が次々に作られる。しかもそれが、苛烈な手段で拡められていく。信長は、やがて落ち着くどころか、ますます張り切っているのだ。実際、永禄十一年秋の上洛から翌十二年春にかけての織田信長の活動は、いかにも無謀な性急さに思えた。都人の中には、

「これでは織田はんも長うはおまへんやろ」

と囁く者も多かったし、織田家中にさえ密かに危惧を抱く者も少なくなかった。いや、歴史の結果を知る今日の史家の中にすら、これを信長の短気の現われと見る者が多い。

しかし、美濃一国を攻め陥すのに七年も絶え間なく出兵を繰り返したほどの信長が短気に走って無謀な改革を急ぐはずがない。信長の思考はいつも冷静であり合理的だ。この時の怒濤《どとう》のような大改革もそれなりの理由がある。信長は、小さな変革を何度も繰り返し、その都度不満と抵抗を生むよりは、一挙に大改革を断行する方がはるかに得策なことを知っていた。だとすれば、尾張の織田がはじめて上方を支配した今こそその好機だ。鉄は熱いうちに打つべし、大変革は驚きが失せぬうちに断行すべし。やがて、信長の成功を嫉妬する遠国の大名が立ち上るようになれば、変革などできなくなるばかりか、かえって叛乱勢力を育てることにもなりかねない。この時期に信長の進めた急激な改革は、そんな考えに基づく一種の「ショック療法」だったのである。

長い間、権力の闘争を見つめて来た京の人々は、しぶとい政治感覚を持っている。面従腹背こそ彼らの政治技術だ。顔には皮肉な笑いを浮べ、陰では信長とその部下の忙しさをあざ笑っているが、決して反抗することはない。それでいて、なんとはなしに事が進まなくなって行く。

こうした京の貴人の消極的抵抗の中心になったのは、信長が将軍位につけてやった男・足利義昭だった。室町幕府という古い殻を背負っているという事実によって、この男は自ずと旧勢力の代表と見なされ、その結集の核となった。

義昭のもとには、大和の寺院や山城の神社などが窮状を訴えたり、救済を求めたりしに来る。古い商人の座の連中も将軍の側近の所に出入する。みな織田の改革の被害者だ。そんな事が繰り返されるうちに、義昭とその側近たちは、危惧と自信を持つようになった。危惧とは、

「将軍としてのわしの鼎《かなえ》の軽重が問われている」

というものであり、自信とは、

「天下の不満を糾合すれば、信長と張り合うことも不可能ではあるまい」

という夢想だ。何しろ、この時期にはまだ、織田家の武力も大して評価されていなかったし、信長とその部将たちも田舎の荒くれ武士程度にしか見られていなかったのだ。

この二つは急速に結合し、やがて怒りと欲になっていく。元来、投機的性格の強い義

昭とその側近たちは、これに抗しかねた。だが、それで直ぐ、「打倒信長」に動くほど義昭も愚かな男ではない。それどころか、この時代における一流の策謀家といってよいほどの知恵者なのだ。

足利義昭の考えた策略の第一は、織田信長を室町幕府の組織の中に閉じ込める手である。

この年（永禄十二年）三月、足利義昭は信長に対し副将軍に就くよう要請したり、斯《し》波《ば》家の家督をついで幕府の管領となるよう勧めたりする。だが、信長はいずれも断り、僅かに桐と二引両の紋所だけを受けた。副将軍や管領になると、一生義昭の風下に立たねばならず、将軍の命に背けばすぐ「反逆者」のレッテルを貼られる。それを信長はよく知っていた。それでも義昭は諦めず、天皇に願い出て、その使者から副将軍に就くよう信長に勧めさせたが、信長は返事をしなかった。

信長はそれより、直接朝廷に接近する方を選び、内裏《だいり》に対して献金を重ね次々と贈物をした。同じ家来になるのなら、独自の権力を主張する足利将軍より、政治的野心のない天皇の方がはるかによいと考えたのである。

その間にも信長は、「新しい政治」の実現に着実に手を打っていた。その一つは、堺と近江の大津、草津に代官を置く許しを得たことだ。信長は、関所の廃止や楽市楽座によって生れた広域市場を基に発展する商工業からの財政収入を、織田家つまり中央政府に吸収する機構を定着させたわけだ。農業だけではなく都市商工業を財政の基盤に加えることを宣言した、といってよい。

また、三月十八日に南蛮宣教師、ルイス・フロイスらと対面、キリシタンの布教を許したことだ。領地と僧兵を持つ既成宗教には激しい圧迫を加えた信長だが、当時は世俗権益を求めるまでになっていなかったキリシタンには実に寛大だった。信長は、近代的な意味での「信仰の自由」を考えていたのである。

この際、フロイスらは目覚し時計を贈ったが、信長は構造が複雑過ぎて自分の所では動かしかねるだろう、といって返している。だが、フロイスの連れていた黒人には異常な興味を示した。身体に墨を塗っているのではないかと疑い、わざわざたらいを運ばせて黒人の全身を洗わせた。信長の鋭い観察眼と徹底した実証主義を示すエピソードだ。

さらに信長は、二日後の三月二十日に朝山日乗《ちょうざんにちじょう》とフロイスおよび修道士ロレンソとに面前で宗論を戦わさせた。結果はフロイス・ロレンソ側に分があったといわれている。信長はその後も仏教各派に宗論を戦わせているが、宗教を一つの理論思想として捉える無神論的合理主義ならではのことだ。この男は、神も仏も恐れなかったばかりか、政治勢力としての宗教をも決して恐れることがなかったのだ。

けれども、こうしたことごとも、保旧派の人々には、「新しい京の支配者」の危険な兆候と映った。過去の権威と伝統的利権という非実証的な非合理性に依存する連中にとっては、信長の性格とやり方は露骨な挑戦に思えたはずだ。鋭敏な策謀家の足利義昭も、そうした京の貴人の感情を見抜いていたに違いない。

そんな中で、織田信長は四月二十一日、軍主力を率いて岐阜に戻ることになった。将軍義昭はなに喰わぬ顔で、これを粟田口《あわたぐち》まで見送った。だが、その心中は激しい怒りを抱いていたことだろう。この度、信長が京に残した顔触れがはなはだおもしろくなかったからだ。これまで明智光秀らが勤めていた京都奉行と将軍取り次ぎの役に、丹羽長秀、中川重政、村井貞勝、武井夕庵、そして何とあの成上り者の木下藤吉郎秀吉が就いたのである。

木下藤吉郎秀吉が、この時期、織田家の京都奉行の一人であったことは、今に残る多くの文書に秀吉の署名があることでも分る。しかも、信長が岐阜に発つ四月二十一日以前の日付のものはみな、丹羽長秀、明智光秀、村井貞勝らとの連署なのに、この日以降はほとんどが秀吉単独の署名になっている。もっとも、まだ奉行職を特定するほど職能分化が進んでいなかった頃のこととて、その後にも村井貞勝や細川藤孝との連署も現われるが、信長が京を去るに当って木下藤吉郎秀吉に多大の権限を与えたことは間違いない。

つい六、七年前までただの組頭に過ぎなかった水呑み百姓の小倅に、京の高貴を治めさせたこの人事も、信長ならではの荒療治の一つである。

二

〈兄者も、今度ばかりは御苦労じゃわい〉

木下小一郎秀長は、この頃よくそれを考える。織田信長が京を去って一カ月、兄の顔は暗く、尖って来た。表面は、いつもの陽気さと無頓着さを装っているが、内心の疲労は蔽い難く現われている。新築なった将軍の城館・二条城を警備する木下組の将兵を巡視する時は、大声を張り上げ、笑顔を振り撒くが、小一郎と二人になるとむっつりと難しい顔になる。そんな時、兄はよく、

「京とは難しい処よなあ……」

と、弱音を吐いたりする。

一見、京の政治は順調であり、畿内は織田家の威風に従っているように見える。武力を背景とした信長の厳罰主義のために、表立って織田に逆らう者はいない。堺も大津や草津も織田家の代官を受け入れたし、各地の寺社も丁重な使者を送って寄越す。

だが、実際の行動は鈍重で、命令はとかく実行されない。なかでも、油断のならない存在は足利義昭とその側近たちだ。義昭は、先に「殿中掟」を発布して、信長の副状がない限り御教書その他の文書を発行しないと約束したのだが、どうやらそれも守ってい

ないらしい。

「将軍様のお許しを得たもんで……」

とか、

「公方様より御安堵頂きましたよって……」

とかいった話があちこちから出て来る。しかもその真偽を義昭の側近に問い合わせると巧みに言を左右にする。

「将軍様がそう申されたわけやないが、その者の申し分は仕来りに叶うておりますなあ……」

ととぼける。またある時は、

「いや、それはまあ世間の常の見方を申されたまでで……」

と抽象化してしまう。直接、義昭を摑まえようとしても、頭が痛いの腹を患っているのと逃げ、ようやく面会すれば、

「左様な細かい事は憶えてへんわ。下々と相談してくれや」

と誤魔化してしまう。いくつかのかなり重要な案件では、

「信長殿もそうせよと申して行かれたと聞いておるが、木下殿にまでは通じておらんか」

といい出す。岐阜の信長に問い合わせて、これが嘘と分ると、

「左様か、ほな誰ぞの聞き違いか、わしの思い違いかな」

と、しゃあしゃあとしたものだ。さらに問い詰めようとすれば、露骨に厭な顔をしてさっさと座を立ってしまう。そこを捉えて三淵とか上泉とかの格式高い近臣たちが、

「木下殿もちと礼法にかなったお心遣いを願わしゅう……」

と回りくどい批判をする。質問の内容ではなく、言葉遣いや動作が悪いから答えられないのだ、というわけだ。

実は、これこそ足利将軍側の「奥の手」だ。実力の全くない将軍義昭は、室町礼法という形式の中に自らの権威を築き、織田方の侵し難い策謀の塞《とりで》を築こうとしているのである。

これには流石の兄・藤吉郎秀吉も困惑した。それを補佐する小一郎秀長も戸惑った。

「わしのような下賤の者を、何でまた信長様は京都奉行になされたんじゃろうにゃあ」

兄・藤吉郎は珍しく泣き言をいった。細川藤孝のもとに通って室町礼法なるものの教えを乞うたが、この複雑悠長な作法を習得するだけでも一年ぐらいはかかるという。その上、藤吉郎の出自の賤しさを理由に殿上人は近づかず、情報不足が著しい。それにもかかわらず、信長は次々と命令を下して来る。

小一郎も、今度ばかりは手助けの方法さえ分らず、不機嫌な兄を慰めることもできなかった。

「木下殿とやらは困ったもんどすなあ。京のしきたりを御存知ないばかりか、お言葉、御書面も通じかねますよってに……」

義昭周辺ばかりか、京人全体が同調する傾向にあるのだ。

都人たちが、特有の丸やかな声音で囁くそんな噂が小一郎にも聞こえて来る。

こんな事が繰り返されるうちに、足利義昭一派と織田家の関係はますます悪化する。しかも、義昭らはこれを、専ら木下藤吉郎個人の責任のようにいいふらした。下賤の出である藤吉郎があまりにも無作法であまりにも無知なことが、誤解を招く原因だ、というわけだ。優れた陰謀家であった足利義昭は、京都奉行を更迭させることで、織田家に対する自分の優位を天下に見せつけようとしているのである。

〈流石に巧い……〉

兄・藤吉郎秀吉に的をしぼった足利側の悪喧伝を耳にするたびに、小一郎はそう思った。諸大名を操り勢力バランスの上に乗って生き永らえて来た足利幕府には、多年の知恵と技巧が累積されているのであろう。

〈何ぞ、兄貴の役に立ってやれることはないやろうか……〉

小一郎もそれを考えた。だが、事は雲上での陰湿な争いであり、「信長の家来の家来」に過ぎない小一郎にできることは見当らなかった。

〈せめて木下組の規律を正しくし、京の市中を平穏にすることや……〉

小一郎はそう結論し、配下の将兵に対する監督を強めると共に、市中巡察などを強化させせた。勿論、食事や給与の面にも気を配った。衰えたりとはいえ都の生活は尾張の農村よりは華美であり、独り身の荒くれ集団にとって京女は魅力的でもある。駐留兵士の不良化を招く誘惑が、この古都には充ちており、それを抑えるのには相当の努力が必要だった。そしてこの時も、威力を発揮したのは信長が与えてくれる沢山の銭であった。治安が回復し物流が盛んになった京では、喰い物も着物も女も、銭さえ出せば存分に将兵に与えられたのだ。

毎日を足利義昭やその側近たちとの面倒臭い交渉に費やし、不慣れな文書の点検や慣例調査に努めなければならなかった秀吉にとって、「この人」が部下の将兵をよく把握し、その規律と士気を保ってくれたことは、大変有難かった。もし、木下組の将兵の中から婦女暴行や金品掠奪の罪を犯すものが出たとしたら、義昭らはこれ幸いと信長に訴え、この下賤の出の奉行を罷免するよう要求したに違いない。そうなれば、信長とて拒み難かったことだろう。

しかし、これではまだ消極的な守りに過ぎず、足利義昭一派の策謀を封じる効果はない。義昭はむしろ、高貴な人々の間で木下藤吉郎の下賤さが知れ渡ったのに意を強くしてか、一層大胆に使者の往来をはじめた。信長の副状なく御教書を出してはならぬという「殿中掟」など我関せずの振舞いだ。

警護の兵を指揮する小一郎も、二、三度、そんな使者を訊問したことがある。だが、相手は「和歌の往来」とか「季節の御挨拶」とか当り障りのない答をする。勿論、それだけの用件でないことは推察できるが、まさか将軍の使いを身ぐるみはいで調べるわけにはいかない。そんなことも、京人が織田家を軽く見る風潮を育てようとする義昭の手練の一つに違いない。

そんな時、小一郎は、

「織田はんのやり方は荒っぽいけど、ええとこもおますなあ……」

と囁き合っている公家らしい老人たちの声を耳にした。

〈信長様が兄者を京に置かれるのは、古いしきたりを破り、織田のやり方を見せつけるためではないか……〉

と、小一郎は考えた。もしそうだとすれば、兄ほど適任なものはいないだろう。

小一郎はその事を、どういう形で兄に伝えるべきかを考えた。そして、木下組のやり方を一切尾張当時のままに戻した。兄と語る時にも尾張訛だけを使い、服装も動作もそれに戻した。

兄はすぐ小一郎の変化に気が付き、

「どうしたんや……」

と訊ねた。

「これが織田家の風にゃろが……」

小一郎は、わざとぞんざいに答えてみた。その瞬間、兄の顔が輝いた。

兄が、殿中において将軍側近の老臣を声の限りに怒鳴りつけた、と小一郎が聞いたのは、それから二、三日あとのことだった。

「あの大声で怒鳴られたのでは、さぞかし室町礼法もすっとんだことだろう……」

小一郎はその場を想像して独りほくそ笑んだ。こうして、この陰にこもった争いでも、ようやく勝負は織田の土俵に持ち込むことができた……。

三

永禄十二年夏――京の政治は一応平静だ。広大な新占領地の統治も徐々に軌道にのり出した。関所の撤廃や通貨制度の統一も浸透し、物資の流通は盛んになり出した。このことが堺や京の商工業者の商圏を拡げ、彼らの懐を潤しはじめている。矢銭の強要に怒った都市の住人たちも、中央政権の確立による経済効果に目覚めるようになって来た。彼らは旧制を守る側から信長の改革を支持する立場に変りつつある。

このことは、織田家の政治・軍事にも目に見えてよい効果をもたらした。畿内の統治がやり易くなったばかりではなく、財政収入も豊かになった。

だが、織田信長は一瞬も休まない。彼はまず、膨らんだ財政収入を利用して、各地の復興に着手した。なかでも力を注いだのは宮中の造営である。信長は「天下布武」の目的に、この国における至上の伝統的権威、天皇を利用することを考えていた。「建武の中興」以来、政治の表面から退いていた天皇は、足利幕府の旧制に対して新制改革派に属し得たからである。この点では、古い徳川幕藩体制に反抗した維新の志士たちが天皇を担いだのと類似している。

同時に信長は、宗教界の改革をも目指した。領内に楽市楽座の制を敷き、各地の関所を廃止することで、寺社が得ていた座の口銭や通行料からの収入をなくし、矢銭を課して寺社の蓄財をも相当に吐き出させた。これは財政経済政策であったと同時に、寺社の財力を奪い、僧兵や寺侍の力を削いで叛乱を起せないようにしようという治安政策でもあった。織田信長は軍事力の基礎が経済力であることを明瞭に意識し政策化した最初の日本人である。

だが、織田信長にとって最大の関心事はやはり軍事と外交にあった。急速に成長した織田家は、それだけになお危険な状態にあることを信長はよく知っていた。京に旗を立てた者は諸方の大名から嫉妬され、ねらわれ易い。

「遠交近攻」――いつの時代にも用いられるこの政策が、この頃の織田家でも基本政策である。三河の徳川と北近江の浅井とを一種の「衛星国」と見なしていた信長は、武田、上杉、毛利、長宗我部《ちようそかべ》ら東西の巨大勢力と友好関係を保ちつつ畿内近辺の中小勢力を吸収して行く方針を考えていたのだ。このため、上杉や武田には使者を送り機嫌を取り続けた。毛利に対しても、中国地方の征覇を支援する旨、再三申し入れた。やがて、織田家とは死闘を演じねばならないこれらの大名も、この時点ではまだ、それぞれのテリトリーを確立するのに忙しく、信長に挑戦するまでには至っていなかったのである。

京にある木下秀吉も、こうした織田家の外交の一端を担っている。西方、摂津、播磨、丹波方面の探索、阿波に帰った三好三人衆の監視、そして毛利家との取り次ぎである。

そんな秀吉の所に、毛利元就《もとなり》から急使が来た。

「中国各地の不穏に苦戦している。かねてのお申越しに甘えて播磨・但馬《たじま》方面に織田家の出兵をお願いしたい」

というのだ。

「流石、元就殿は喰えんお人じゃ」

小一郎に対して、兄・秀吉はそんな感想をもらした。

安芸・吉田の小城主として大内家に仕えた身から中国十カ国百数十万石を切り取った毛利元就は、織田信長とは違ったタイプの合理主義者である。大内家に代って中国西部の覇権を握った陶晴賢《すえ》を討ち取った厳島の合戦では、信長の桶狭間と酷似した大胆な奇襲で勝利を得たが、それ以後は危険を避け時間をかける安全策ばかりを採っている。老境に入った元就は、分を心得、無理をしない巧知を備えているのだ。

　この直前、織田信長が上洛を果すまでの何年間か、毛利家は日本最大の領主であった。しかもその領地は、水陸の便に恵まれ、商工業が栄え、外来の新技術の流入も早い。明らかに毛利は、中央制覇の最短距離にいたのである。恐らく、元就がその気になれば、強力な水軍を使って摂津のあたりに上陸し、一気に京都を占領することも不可能ではなかったはずだ。

　だが、毛利元就はそれをしなかった。この男の興味は派手な中央制覇よりも地道に力を蓄える領土の拡大と内治の充実に、京よりも山陰地方や北九州にあった。下手に京都などに入ると、畿内の政治に揉まれ、四方の大名たちから袋叩きになることを警戒したのであろう。

　毛利元就が、三人の息子に矢を折らせ兄弟結束の重要さを説いた「三矢の教え」は有名なエピソードだが、これは元就のオリジナルではない。全く同じ話が、ジンギス汗の母・ホエルンの言動として『元朝秘史』に記されている。それよりも、この男が「天下など取ろうと思うな」といって守成を重んじる家憲を残した事実の方がはるかに興味深い。毛利の子孫はこれを守り、そうすることによって日本の歴史に重大な影響を与えるのである。

　毛利元就とは、そういう男である。信長が遠方の大勢力と友好を保ちながら近隣の群小領主を併呑しようとしていたのと同じように、元就もまた中国地方の制覇に忙しい。山陰の尼子《あまこ》をあらかた掃討し、備前の宇喜多を属国化した毛利は、北九州の一角と山陰東部への進出に努めている。毛利の力をもってすれば、やがてこれにも成功するだろう。だが、それでも毛利は「利用できるものは利用する」思想を捨てなかった。協力を申し入れて来た織田の力を使わぬ手はないとばかり、播磨・但馬への援軍派遣を織田家に要請しに来たのだ。

〈厚かましい奴だ……〉

小一郎は、兄の示した元就の手紙を見て、まずそう思った。兄のいう「喰えぬ男」というのも同じ意味だろう。

「当家は今、お忙しい。とても他人の世話までできんでしょうなあ……」

小一郎はそういって、毛利の要請を断るべきだという意向をほのめかした。

実際、織田家は政治面ばかりでなく軍事的にも多忙だ。目下交戦中の大敵がいるわけではないが、急増した新領の統治と四方の勢力への備えで手一杯である。京都に駐留する人数も五千人ほどに過ぎない。もしまた、三好勢でも反攻して来れば、今年の正月同様危うい形勢になりかねない。何といっても新付の豪族や地侍はまだ信用できないのである。

「もっともじゃ」

兄は軽くうなずいたが、すぐそのあとで、

「けれどなあ、小一郎……」

と続けた。

「もっともなことばかりしとったんでは大を成せんぞ。危険を覚悟、無理を承知で働かにゃいかん時もあるでなあ」

「それはそうやが……」

小一郎は曖昧に返事をした。兄のやり方はよく知っているが、今、それが何を指すのかよく理解できなかったのである。

四

七月末、小一郎は驚くべき報せを受けた。岐阜に出向いていた兄・藤吉郎から、

「帰京次第、指揮下全軍を率いて播磨・但馬方面に出陣するのでぬかりなく準備せよ」

という命令が急使によってもたらされたのだ。

〈何でまた我らが……〉

小一郎は我が耳を疑った。兄・藤吉郎秀吉は京都奉行として忙しく、その配下の部隊は京都防衛についている。ただでさえ手薄な京都駐留軍からその大半を占める木下軍を

抜いてまで、毛利を援けなければならないのか。たとえ、外交上それが必要としても、他に待機中の部隊がいるはずだ。どうして兄者が選ばれたのか。小一郎には分らなかった。それを訊ねてみると、

「岐阜の御城下でも今度は木下殿が貧乏くじを引いたというお噂で……」

という言葉が、渋い表情の使者から返って来た。織田家の領地を拡げる戦さなら御加増にもあずかれるが、他家を援けに行くのでは骨折り損だ、というわけである。

〈兄者め、何ぞしくじりおったか……〉

小一郎はそんな不吉な想像さえした。だが翌日の夕方、京に戻った兄は、開口一番、

「みな喜べ、信長様はまた、わしの願いを聞き入れて、この藤吉郎を毛利殿の援軍にお選び下さったぞ」

と嬉し気に叫び廻った。

〈また、兄者の芝居か……〉

小一郎は、一度はそう考えた。兄は、自分の言動が信長の耳に入るのを恐れてか、決して不満面をせず、何事も嬉し気にいうのだが、この夜、二人きりになった時、兄は本心をもらした。

「毛利は大国じゃ。これからは当家とのかかわりも増えるじゃろ。今、行っておけば先々も毛利のことはこの木下が扱うようになるじゃろうて」

「なるほど……」

小一郎はうめいた。大国との外交を担当すれば家中での重みも増すし、経済上の役得もある。対毛利外交を握れば多少の御加増以上の利得もあるというわけだ。

「しかし、御当家と毛利家との仲はいつまで続くじゃろうかなあ……」

小一郎はそう訊ねた。担当外交官が役得を得るのは双方が友好関係を保っている期間だけである。小一郎の見る所、織田と毛利の友好は長続きしそうにない。畿内を制圧し終えたら織田信長は西に向かうだろうし、中国を統一すれば毛利は東、つまり畿内に出て来るだろう。両者の衝突は必至だ。

だが、兄は、

「戦さになればなお有難いわ。最大の敵を相手にする者は最大の軍勢をお与えいただけるでな」

というのであった。

「あっ……」

小一郎は叫びかけて、慌てて手で口を押えた。兄は、近い将来、織田・毛利の戦さがはじまった時、対毛利戦争の総指揮官となることを考えているのである。

〈兄者はそこまで読んでおったのか……〉

小一郎は舌を巻いた。そして、改めて、

〈俺は生涯主役にはなるまい、この兄のためにこそ、補佐役として生きて行こう……〉

と自分にいい聞かせた。

この時、兄・藤吉郎秀吉が考えたことは、八年後に実現する。そしてそれがやがて、この兄弟に大きな利益をもたらすことになるのである。だが、その前に彼らは、何度も死地をくぐらねばならない。

木下藤吉郎秀吉とその部隊が京を出発したのは八月はじめのことであった。その前日、兄は、

「小一郎、今度はお前が先鋒じゃぞ」

と命令して、またしても小一郎を驚かせた。

木下組には、蜂須賀正勝、竹中重治、木村隼人佑など戦さ慣れした先鋒向きの将校がいる。それをはずして、留守居や兵糧方をつとめることの多かった小一郎に先鋒を命じるとは妙なことだ。

「今度は毛利殿のお手伝い故、しっかりやれ」

小一郎の怪訝《けげん》な表情を見て、兄はそう付け加えた。

「なるほど、分った」

小一郎は、すべてを理解してうなずいた。どうせお手伝いだからあまり張り切って将兵を傷つけてはいかん。それよりも将来に備えて、毛利家の部将の間に顔を売れ、そん

な意味を読み取ったのである。

先鋒に立った小一郎は、安全な道を選んでゆっくりと進み、適当に武威を張って敵を威圧することに努めた。だが、その間に使いだけは再三出し、毛利の部将たちに木下藤吉郎秀吉の名を宣伝した。こういう小まめさでは、木下家中で小一郎の右に出るものはいない。

幸い、戦さは楽だった。東西から毛利、織田二大勢力が攻め寄せるのを見て、播磨・但馬境の小豪族や地侍たちは、たちまち戦意を失ってしまったから、毛利家から依頼されたいくつかの小城の攻略もごく簡単に片付いた。

毛利方は、織田軍を引き出すことによって楽勝し、織田家はこれで毛利たちにちょっとした貸しを作り、当分の間は友好を確保した。そして、木下藤吉郎秀吉は、毛利家中に名を知られ、事後の外交の取り次ぎ役を手中に収めたのである。

木下秀吉とその部隊は、約十日間、播磨・但馬の境あたりを歩き廻っただけで、八月十三日京に帰着した。だが、そこにはまた、次の出陣命令が岐阜から来ていた。今度は、織田家自身の戦いであり、戦場は伊勢である。

この当時、伊勢の北部は既に織田家の領地となっている。北伊勢最大の豪族・神戸家は信長の三男・信孝が継いでいる。だが、中南部はまだ、国司北畠具教が抑えていた。信長は、京都と岐阜を往来する間にも、この方面への工作を怠らなかった。滝川一益を置いて、調略と軍事圧力とを加えさせていたのである。

木下藤吉郎秀吉に優るとも劣らぬ才覚人・滝川一益は、またしても大きな成果を上げた。この年五月に木造《くづくり》具政らの誘降に成功したのだ。

信長は、この有利な情勢を利用して、一気に北畠らを攻めることにした。八月二十日、八万の大軍を桑名に結集、先鋒の滝川一益をして多芸《たぎ》の国司館を焼き払わせ、大河内城などを攻めさせた。戦いは一方的で、中伊勢の諸城は次々に陥ち、十月四日に至って総てが終った。

北畠具教は信長の次男・信雄《のぶかつ》を養子にして家督を譲り、身一つになって笠木に退いた。

この戦いでも、木下秀吉とその部隊は、戦いというほどの働きはしなかった。だが、この間に京都ではるかに重要な問題が密かに醸成されていたのだ。木下秀吉ら織田家の者が京をあけている間に、足利義昭とその側近たちは信長の改革に反感を持つ勢力と結びつき、巨大な「反信長同盟」を形成しつつあったのである。

敗走の功

一

京の街は活気を帯びている。

新将軍・足利義昭の居城、二条城の工事が急速に進んでいる。御所の修理も大々的に行なわれているし、寺院の修繕も盛んだ。諸国から集った将兵と人夫たちで、街は騒々しいまでに賑やかだ。

物資も豊かになった。各地の関所が廃止されたので、各方面から産物が大量に入り、安価に売られ出した。京の品物もまた遠い所にまで大いに売れるようになった。高価な絹織物、雅《みやび》な染め物、金物細工に仏具経本などの需要が増え、手工業者も商人も忙しい。勿論、将兵と人夫を相手にする女たちの数もおびただしく増加している。

永禄十二年旧暦十月、伊勢征服を完了した織田信長が、京に凱旋した時に見たのは、そんな風景であった。

「藤吉郎も、ようやっとるわい」

信長は甲高い声で満足気にそういった。伊勢の軍事攻略における滝川一益の働きと、京の行政における木下藤吉郎秀吉の手腕とが、この時期の信長を大いに喜ばせた。

〈確かに兄もようやる……〉

この信長の言葉を伝え聞いた木下小一郎秀長は、よき兄を誇りに思った。京の安定と繁栄の功績の幾分かが、織田家の京都奉行の一人・木下藤吉郎にあることは疑いもない。小人、足軽という最下級の身から出発したにもかかわらず、兄は高貴な人々の雲集する都でも今や臆することがない。出自の賤しさに対するこだわりも消えたし、古い仕来りにとらわれることもない。主君・信長の性格と政策をそのまま反映させた木下藤吉郎のやり方が、古都に積ったしがらみを打ち破り、物事を単純化して、かえって万事を円滑にしているのだ。京人の陰湿な抵抗を排するために、木下藤吉郎のような全くかけ離れた男を奉行に就けた信長の人事は巧妙かつ効果的であったといえる。

織田信長は、こうした兄の功績を認めて、また一段と地位を高めてくれた。つい三年ほど前までは雲上人のように思えた信長の側近・武井夕庵の上位に置かれたのだ。但し、禄の加増は案外少ない。能力ある者には惜しみなく権限を与えるが、禄は比較的低く抑えて、家中のバランスを保つのが、信長流の人事管理、人材登用術である。このため、木下藤吉郎の指揮下にある京都駐留軍の大半が織田家からの「借物」で、木下家自身の家中は少ない。内部の調整に当る小一郎には、依然として苦労が尽きない。

しかも、小一郎の仕事はそれだけではない。兄の地位が高まるにつれて、その第一の家臣である小一郎も注目されるようになった。京都奉行に取り入ろうとする者はみな、その弟にもすり寄って来る。貴人高僧から大名や商人座頭《ざがしら》まで、いろんな連中が小一郎を訪ねて来る。

〈しんどい事や〉

と、小一郎は思う。二十歳過ぎまで尾張・中村郷の百姓であった身には、都の高貴な人々と付き合う作法がひどく窮屈だ。長ったらしい文章の往来も面倒だ。しかも、彼らの持って来る話はみな複雑でこみ入っている。都の者はみな、気の遠くなるような昔から説き起して「我が家の土地を何某が……」と権利回復を訴えたりする。だが、その相手方もまた同じことをいう。どの時代を基準にするかで正邪が変るのだ。

小一郎は、少しでも重要と思う問題は兄にそのまま上げる。しかし、細かな事は自分の判断を付けて兄に伝えて、決済のみ仰ぐ。そうでもしないと、兄が多忙になり過ぎるからだ。

これまで、木下組の内部調整に当って来た小一郎の経験は、京の行政にもある程度役立った。しかし、これまでには経験しなかった問題も沢山ある。その一つは、織田家に降った新付の諸将との関係である。彼らを監視するのも、京都奉行とその幕僚たちの重要な——恐らくは最大の——仕事なのだ。

新付の者、といっても、美濃や伊勢で帰服させた小豪族や地侍とはわけが違う。多くは一城の主であり、自立した大名だった者どもだ。しかも、畿内の要地を治めていただけに誇りも高く顔も広い。情報網もしっかりと摑んでいるし、婚姻によって高貴な人々とも繋がっている。そして何よりも、歴史の古い土地特有の面従腹背の世渡りの術を心得ている。わざわざ小一郎などに接近して来る者は、中でも世故に長じた連中である。

京に戻ってしばらくした頃、その一人、松永弾正久秀なる人物が小一郎を訪ねて来た。阿波の三好家の被官から出発して力を蓄え、自立の大名に化し、時には三好三人衆と戦い、時にはこれに服したり和したりして、長く京都周辺を支配した老狐である。

「木下殿には恐れ入りますわい。わしらが長く困《こん》じ果てとりました事々を、木下殿はいとも容易《たやす》う解決なさる。流石は織田家第一の才覚といわれなさるだけの御人じゃ」

今は織田家に帰属する一将となった松永は、人なつっこい微笑を老いの目立つ頰に刻んで、そんなことをいった。前将軍・足利義輝を攻め殺した陰謀家とは、とても思えぬ愛想の良さだ。

「いやいや、我らは下賤の出。兄とて去年までは京の香りとて嗅いだことのない田舎者です。弾正殿にはいつもようして頂いておると兄も常々申しております」

小一郎は、尾張訛を隠して、ソツのない言葉を返した。兄が八方破れとも見える尾張風で押し通しているとなれば、その補佐役の弟は普通以上に丁重でなければならない。兄弟共に威張っていると見られたのでは都人の反感を買う。部下の将兵も必要以上に威張った形になる恐れもある。だが、あまりにへり下ってなめられてもいけない。ただでさえ都人たちはみな、内心、尾張者を蔑視しているのだ。

「我らは、織田家中でも、木下殿を無二のお人と心得とりますよってな」

松永久秀は、小一郎の耳元に口を寄せてそう囁いた。この一言こそ老獪《ろうかい》な松永のいいたい所に違いない。勿論、小一郎の口からそれが、兄・藤吉郎に伝わることを計算しての上である。

「これはまた、過分な御言葉で……」

小一郎は、曖昧に笑った。

向背常なき松永弾正の言葉ほど信用できないものはない。この男が京都奉行の身辺に間者を入れているらしい事は小一郎も知っている。決して兄を信頼しているわけではあるまい。

勿論、織田家からも木下家自身も、松永の側近を懐柔して監視しているのであるから、お互い様ではある。松永久秀だけではない。大和の筒井氏にも摂津の伊丹城や池田城にもそれはしてある。そしてそうした者たちからの報せが数多く小一郎の手元には集ってくる。多忙な兄に代って、小一郎は第一次的な情報の収集と分析を手伝っているのだ。

その中には、この男、松永弾正久秀の不審な動きを伝えるものも珍しくない。だが、あまりに疑い過ぎるのも危険だ。新付の者の疑惑をいい立て、その実、織田勢力の離反内抗を謀《たくら》む者も少なくない。それも敵ばかりではない。本当の味方の中にも、内部のライバルの失脚を願ってそんなことをする者がいる。あまりにも急速な藤吉郎の出世は人々の嫉妬を招くに十分だ。それだけに、生の情報を得て取捨選択する小一郎の役目は難しい。小一郎の見る所では、苛烈な主君・織田信長に仕えているせいか、兄は少々猜疑心が強過ぎるようにも思える。

こうした小一郎の基準から見ると、松永久秀は、今のところ「白」だ。池田も伊丹も和田も筒井も大丈夫といえる。だが、一つだけ、どうにもよくない所がある。完成間近い二条城に鎮座する将軍・足利義昭である。

二

永禄十二年秋、一カ月あまり京に滞在した織田信長は、十月十七日に京を発して岐阜に引き揚げた。京には木下藤吉郎のほか、丹羽長秀、明智光秀、中川重政、細川藤孝らを残した。夏よりは京の留守を手厚くしたのは、差し当り東に戦さの臭いがなかったのと、畿内に気になる様相があったからだ。そして、その最たるものが、将軍・足利義昭に起因していたことは間違いない。義昭の反織田行動はますます露骨になっている。

のちの歴史を知る者の目には、この頃の義昭の動きは、いかにも馬鹿気た誇大妄想のように思えるかもしれない。結果から見ると時代は既に変り、足利幕府などは過去の亡霊になり果てていたことが、誰にでも分るからだ。

だが、この時代に生きた人々は、勿論その結末を知らない。足利幕府は絶えることなく継続しているのであり、信長のような現実主義者でさえも利用したくなるほどの権威らしきものがまだ残っていたのである。事実、信長は、義昭という「玉」を得たことで上洛を果した。それは、信長にとっての成功であったと同時に、義昭にとっての成功でもあった。

〈我が足利家の威信はなお根強い……〉

足利義昭とその側近たちがそう思ったのも、当人の身贔屓《びいき》を含めて考えれば不思議ではない。そしてその事が、この野心家に、足利幕府の実態的な復活を夢見させた。

織田信長の周到な準備と果敢な行動とで、思いもかけぬほど早く京に上り将軍位に就いた足利義昭は、一時的な狂喜からさめると、名と実の差に気が付いた。この野心家は将軍位の有名無実を嘆き、天下の政務を専横する信長を憎んだ。この男は元々、足利幕府を復興するために尾張の新興大名を利用したのであって、信長を天下人とするために、そのお飾りになったのではない。

〈織田が強大になり過ぎてはいかん〉

義昭はまず、そう考えた。この男にとって、それは本能的ともいってよいほどに自然な発想だった。本来、足利幕府なるものは、鎌倉幕府や徳川のそれと異なり、きわめて統制力の弱い政体である。管領家をはじめとする各地の守護、地頭が強力な独立性を持ち、将軍はその連合体の長ともいうべき形でトップに載っかっていたに過ぎない。将軍家は本来さして強くないが、これをくつがえすほどの優位者が他にいないから地位と権威が保てたのだ。

当時の人々の多くは、そもそも幕府とはそんなものだと思っている。勿論、足利義昭もその一人だ。この俄《にわ》か将軍は、特定の一人に圧倒的な力を持たせさえしなければ、微力な自分にも幕府復興のチャンスはあると信じている。つまり、常に第一位の挑戦者を叩くことが、足利将軍の処世術なのだ。そんな政治風土に育って来た義昭は、上洛した織田信長が、またたく間に畿内の大小名《だいしょうみょう》を服属させ、諸都市に代官を置いて矢銭を徴し、伊勢、伊賀方面まで征服するのを見ると、胸騒ぎを禁じ得なかった。まして、その信長が「殿中掟」を定めて、「副状なしに御教書を出してはならぬ」などといい出したのだから腹立しい。

〈信長め、たかが尾張の出来星大名のくせに、多少の手柄でつけ上っておる〉

義昭はそんな風に考え、信長に対する不快感を強めた。そしてそれが、

〈懲《こ》らしめてやろう〉

という思い上りになって行った。

武力の乏しい将軍義昭が使える手は、諸方の大名に呼びかけて反織田勢力を結集することだ。この年の暮になると、義昭は密かに諸国の大名と提携して権力の拡大を図り出した。多分、義昭は、諸大名の力を背景にして信長と折衝し、実権の一部を回復することぐらいを求めたのであろう。足利将軍の権威を過大評価していた義昭は、諸方の大名を競い合せて自ら仲裁者たろうとしたのである。それが、足利将軍本来の機能であり権力だったからだ。

しかし、織田信長の立場はそんな生易しいものではない。義昭を将軍に就けてやった信長は、最早将軍の権威などで大名間の武力闘争が調停できるものではないことをよく知っている。足利義昭のやっていることは、信長の生命と織田家の存立にかかわる重大な裏切り行為なのだ。

織田信長の怒りは大きかった。だが、足利義昭を直ちに殺すことも追い出すこともできない。自ら将軍にした男を一年や二年で廃したとなれば、天下の信を失う。織田家が畿内を占領している根拠もなくなる。そして何よりも、諸大名に「織田討伐」の口実を与え、各地の土豪や寺社に叛乱の契機を与える。今の織田家は、この総てに対応できる

ほどには強くないのである。

信長は、足利義昭の策謀を苦々しく思いつつも、手荒なことはできないわけだ。そしてそれと知っていればこそ、義昭の動きはますます露骨で大胆になった。

「困ったもんじゃのお、あの公方様《くぼう》は……」

京都奉行として義昭監視の任にある木下藤吉郎も、小一郎にしばしばそういった。

だが、苦しみ苛立っていたのは織田方だけではない。足利義昭の方もそれに劣らず焦っていた。諸方の大名や寺社に反信長の決起を呼びかけても「おいそれ」と動く者がいないのだ。武力の乏しい足利将軍としては、「密書」に応じる有力者がなけば、独り相撲にもならない。まるで壺の中で泣きわめいているようなものだ。

こうした双方手詰りの陰気な対立の中で先手をとったのは織田方だ。織田信長はまず、近隣の大名に「踏絵」をさせることにした。来年の正月には京に出仕するように、と畿内とその周辺の大名たちに命じたのだ。

畿内の小大名《こだいみょう》はみなこれに応じた。年来の同盟者、徳川家康も浅井長政も否とはいわなかった。だが、越前の朝倉義景だけはこれに応じなかった。

〈やっぱりそうか……〉

と信長は思った。朝倉は足利義昭との縁が深い。織田家に来るまで義昭を養っていた朝倉家としては、義昭を得てからの信長の成功が腹立しい。今更のように、将軍を担いで上洛しなかったことが悔やまれる。そこへ遅ればせながらも、将軍の密書を得たのだから、折あらば織田を討ちたい気持が強いのも当然だ。

だが、朝倉は、実力と勇気に欠けていた。単独ではかなわぬと見て、反織田の大同盟が出来るのを待った。東の武田、西の毛利にも手を伸ばし、阿波に敗退している三好衆にも呼びかけているらしい。信長の同盟者であり妹婿でもある浅井長政にも誘いかけたが、織田、朝倉双方に義理と縁のある浅井は乗らなかった、という話もある。

〈先制攻撃をかけてやろう……〉

織田信長は密かにそう決意した。

永禄十二年十二月、信長は、近江で相撲を催したり鷹狩りを行なったりしながらゆるゆると上洛。京で朝廷に献金をしたり、足利義昭に再度、御内書発布を禁ずる注意を与えたりして過ごしたが、その間にも越前攻めの構想を練っていた。

「四月に将軍の御城が完成する。大いに馬揃えを行なう故、その準備をせよ。諸国より五万余が集る。兵糧を京に積んでおけ」

信長は、木下藤吉郎にそう命じて岐阜に帰った。

「えろう大そうな事やなあ……」

兄からその話を聞いた小一郎は、ちょっと首をひねった。馬揃えとは、観兵式のことである。美々しく飾った武者が並ぶ行事だが、それにしても五万人は多い。観兵式で一望できる人数はせいぜい数千人である。

「信長様のお考えは、いつも凡者の及ばん所じゃ。兵糧ばかりやない。鉄砲も弾ぐすりも用意せにゃのお」

兄はニヤリとしてそういうのだった。

〈裏がある〉

小一郎は、兄の言葉からそれを感じ、直ちに資金を集めにかかった。この頃、鉄砲は堺特産の新兵器である。堺を支配下に治めた織田家はその調達に有利な立場にあったが、値段はすこぶる高い。これを多数調達するには、大変な資金が要る。藤吉郎・小一郎の兄弟は、木下家の預かる資金に京都奉行所の持金をはたいて鉄砲を買い集めた。彼らの予想は的中した。そればかりか、結果的にはこれが兄弟の生命を守り、出世の道を開くことにさえなる。二条城完成を祝し終えるや否や、信長は京に結集した全軍に、越前攻めを発布した。それが、長く苦しい戦さへの出発となったのである。

三

永禄十三年（一五七〇・この年は途中で元号が変り、元亀元年となる）四月二十五日、織田信長の大軍は、若狭から越前、敦賀に侵入した。木下藤吉郎秀吉の部隊は、織田軍の先頭に近い所にあった。前後には、柴田勝家、池田恒興、それに援軍として加わっている三河の徳川家康らの部隊がいた。

　木下小一郎秀長は、この木下軍の本陣、兄・藤吉郎の側にいた。ようやく木下家でも家臣が増え、先陣の戦闘部隊や後方の輜重《しちょう》を指揮する適任者が出来たため、兄は小一郎を使い易い主計将校兼副司令官に仕立てたのだ。

　織田軍はまず、手筒山《てづつやま》城を目指し、木下部隊が手はじめに周囲の村々に放火した。この頃の攻城戦は、まず城の周辺の村落を焼き払うことからはじまる。作戦行動を容易にする足場固めと、火を見ることで士気をたかぶらせる景気付けのためだ。

　信長は自ら近くの山に登り、手筒山城の城郭設備や敵兵の強弱の塩梅《あんばい》を見計らい、七重八重に包囲させ、一斉に法螺《ほら》を吹き鳴らして攻めさせた。

　だが、城内には寺田采女正《うねめのしょう》を主将とする朝倉方の勇士が多く、よく防戦したので攻撃軍は攻めあぐんだ。信長は、

「新手と入れ替えて攻めよ」

と下知し、柴田、池田、木下らの部隊を投じた。数を頼んでの力攻めだが、圧倒的な兵力差がものをいい、その日のうちに敵首千三百七十余級を得て落城させることができた。

　この間に、近くの金ケ崎城から、朝倉義景の一族、朝倉中務大輔景恒が手筒山城の救

援に来たが、分厚い織田方の包囲陣に阻まれてなす術もなく引き揚げている。織田方の奇襲攻撃に、朝倉方は兵力動員が間に合わず、両城ともに守兵が十分ではなかったらしい。

翌二十六日には、その金ケ崎城を織田勢は包囲した。

信長は、今度は一時戦闘を中止し、木下藤吉郎を軍使として誘降させた。藤吉郎は、

「ただ降参あるべし、恩賞の地は御望み次第に進ずべし」

といったという。恐らく、城門の前から大声で叫んだのだろう。木下藤吉郎秀吉は、「天下三大音」といわれたほどの大声の持ち主なのだ。

隣の城を一挙に陥落させて千余の首を取った直後だ。十重二十重に包囲した上での誘降は、型通りとはいえ効果的だ。果して城内には投降論が強まり、朝倉景恒もやむを得ず城を出た。

「小一郎、景恒殿をお送り申せや……」

と、兄は命じた。小一郎は兵二百騎で朝倉景恒を越前府中まで夜道を護送して行った。降将を敵地まで護送させたというのは、信長としては稀に見る寛大な処置だ。この頃の信長は、朝倉攻めを楽観し、事後の敵軍の誘降を容易にしようと考えていたのだろう。

敵将護送は気楽な仕事ではない。特に帰り道は危険だ。朝倉景恒を府中城近くで放った小一郎が、一目散に金ケ崎まで駆け戻ったのは、旧暦四月の短い夜が明けかける頃で

ある。流石に小一郎はほっとして、深々と眠った。だが、それも長くはなかった。

ほんの一瞬まどろんだ所で、

「上様の急なお召しで殿が出かけられます」

という声に呼び起されたのだ。

「何、上様の急なお召しとな……」

小一郎は、眠りの去り切らないままに、小首をかしげた。厭な予感がした……。

四

木下小一郎秀長は、陥落させたばかりの金ケ崎城前の陣地で、兄の帰りを苛立ちながら待っていた。

織田信長の本陣から使いが来て緊急の軍議招集が伝えられたのは、もう一刻《とき》半（三時間）も前の事だ。

〈只事ではない……〉

もう小一郎はそれに気付いていた。通常の軍議なら、散開している諸将を集める都合から前日に予告がある。大抵は議題の一部も告げられる。各隊の参謀と事前に協議する余裕を与えるためだ。

だが、先刻の使者は、馬上から「至急参集」とのみ叫んで大慌てで次の部隊の方に駆けて行ったという。短い口上からも異常な急ぎ方からも、非常事態であることが分る。

〈悪い事だ……〉

と小一郎は思った。考えられる事はいくつもある。

まず寝返り。この遠征には松永久秀はじめ新付の大名も何人か加わっている。その中から朝倉に通じる者が出ることはあり得る。だが、それならどこかで部隊の移動か戦闘がはじまるはずだ。今のところそれがない。

内乱。畿内で誰かが反旗を揚げたことは十分考えられる。これなら一部をかえして鎮圧に当らせれば済む。

一揆。大いにあり得る。一向宗徒など一揆を起しそうな勢力は多い。だがその程度ならこれほど慌てることはない。一揆が外に攻め出すことはない。

外敵の侵攻。これもあり得る。信長の留守を狙う者は多い。阿波に退いた三好、中国の毛利、甲斐の武田、衰えたりとはいえ今川もまだ可能性がある。しかし、それはまだ早過ぎる。信長が京を出たのはたった四日前だ。

強敵の来援。これもないわけではない。朝倉の向うには上杉謙信がいる。これが朝倉の救援に来るとやっかいだ。だが、それにも時間がかかる。越前と越後の間には越中、加賀の二国があり、上杉といえどもそう迅速に通過できる状況にはない。

〈分らん……〉

小一郎は推測に飽きた。小一郎の想像した事は、この場合全部はずれていたが、やがてこれがみな現実になって行くのである。

小一郎は帷幕《いばく》に入り床几に腰をおろした。隣の床几では、こういう時には、落ち着いた風を装い、麾《き》下《か》の将兵を安心させるのが第一だ。竹中半兵衛重治が半ば目を閉じて座っている。向かい側には、蜂須賀小六、木村常陸介、生駒甚助、前野勝右衛門、加藤作内らが不安気にたむろしている。四月の陽は中天にある。何となく左右の陣が騒がしくなって来た。どうやら軍議が終ったらしい。だが、兄はまだ戻って来ない。小一郎は不吉な予感がした。

それからまた、四半刻（半時間）ほどして戻って来た兄は、いかにも楽し気な笑顔を作っていたが、兄を知り尽している小一郎には、内心の興奮を必死に抑えているのがよく分った。果して、ごく短い談笑のあと、兄は一旦人払いを命じてから、改めて小一郎と竹中、蜂須賀の三人だけを招いた。それに応じて真先に帷幕をくぐった小一郎は、ぎょっとした。中央正面の床几にただ一人腰かけた兄の顔が先刻とは打って変った恐ろしい表情になっていたのだ。

「撤退じゃ。浅井殿が、六角家と結んで叛《そむ》いた……」

三人が揃うのを待って、藤吉郎秀吉は、独り言のように呟いた。

それを聞いた時、小一郎も身の毛がよだつ思いがした。蜂須賀小六は髭面を震わせて「へえ」と叫んだし、流石の竹中半兵衛も目を見開いて「まことか」とうめいた。浅井長政の叛乱は、織田家の一同にとって正しく「青天の霹靂《へきれき》」だったのである。

浅井長政は、信長の妹・お市の婿であり、年来の同盟者でもある。信長が、美濃の斎藤龍興と戦っている頃にも、浅井は近江から関ケ原方面に出兵して斎藤家の背後を脅かして信長を援けた。また一昨年の信長上洛の折にも、浅井は沿道にこれを迎え、共に六角氏を攻めて上洛の道を開いたし、摂津方面への出兵にも協力した。織田家にとっては、北近江の浅井家は三河の徳川家と並ぶ有力な同盟軍だったのである。

それだけに浅井長政が叛乱するとは、織田家の誰もが想像しなかった。本拠の岐阜からも京都からも遠くはなれた越前に攻め込む作戦は、その中間に位置する浅井家の協力ないし黙認がなければ成立ち得ない。それを敢行したのだから、信長が浅井長政を固く信じていたことは間違いない。

もっともこれは、織田と浅井との関係だけを見た場合の話だ。実は、浅井はまた朝倉家とも縁が深かったのだ。もともと京極家の被官であった浅井家は、京極家が六角氏に乗っ取られたのを契機に自立したのだが、以降六角氏との抗争が続く。北近江三郡十数万石に過ぎない浅井は苦戦し、しばしば六角勢に圧迫された。それを救ったのが北隣の越前・朝倉からの援軍であった。このため、織田信長との同盟に当っても、浅井長政は

「無断で朝倉を攻めることがないように」と、わざわざ念を押したものだ。義理固い浅井長政は、義兄の信長と恩義のある朝倉義景との板挟みになることを、当初から警戒していたのである。

それにしては、信長が浅井長政の向背を疑いもせず、越前に攻め入ったのはなぜだろう。恐らくこの現実的な機能論者は、長政の義理固さよりも合理精神を、感情よりも理性を信じていたのだろう。つまり、強大な成長株・織田家に敵対することの不利を考えれば、浅井長政が落ち目の朝倉に味方して自分に叛くことはあるまい、と信じたのだ。徹底した合理主義者の織田信長は、生涯人間の不合理な感情を理解できなかった。それが最後にこの天才の悲劇に繋がるのだが、この時もそれで失敗したのである。

もし、浅井長政が、徳川家康や木下秀吉のような利に聡い現実主義者であったなら、信長の読み通りになっただろう。だが、長政にはもっとロマンティックな所があった。殊に長政の父親・久政は頑固な老人で、新興の織田よりも伝統ある朝倉の筋の良さを好んだ。久政は、六角承禎と苦しい戦いを続けながらも旧主・京極氏を養い続けた男だ。信長とは逆に、浅井父子は未来よりも過去に忠実だったのである。

信長の驚きを一段と大きくしたのは、浅井が宿敵六角承禎と結んだことだ。浅井と六角との抗争は長く、互いに遺恨が深い。ついに二年前の信長上洛の際にも、浅井は織田軍の先駆けとして六角の諸城を攻めている。そしてそれが、信長にとっては一つの保険でもあった。北近江の浅井と南近江の六角とが結ばない限り、近江路が全面閉鎖されることはないのである。

だが、今、浅井と六角が相たずさえて反織田の兵を起したのだ。これもまた信長には解せぬ所だったに違いない。恐らく、この同盟の背後には、足利義昭の手が働いていたのだろう。古い伝統に権威を感じる浅井父子は、足利将軍の、

「相共に朝倉を援け、逆賊織田信長を討て」

との御内書を得て、勇躍立ち上ったのに違いない。

浅井父子にとって、将軍の御内書は織田との同盟を絶ち、朝倉への義節を尽す心理的援けとなったことだろう。この点でも信長は、「過去」を軽視し過ぎていたといえる。

明らかに信長は、数々の誤算を犯した。だが、この危機に直面した信長の決断と行動はまことに凄まじい。

「逃げよう」

信長は咄嗟にそう決めた。

「退く」というようなものではない。少数の護衛だけを従えて馬にまかせて湖西を駆け抜けるのだ。信長は「浅井、六角蜂起」の報せで湖西の小豪族や土民が叛かぬうちに通り抜けるのが最も安全だと考えた。そしてその背景には、

〈わしが生きている限り織田家は存続する。必ず朝倉、浅井を討伐出来る〉

という強烈な自信があった。

織田信長のこの決断は、何が大事かを知る人間のみに出来る英断といってよい。この時代の戦さでは勝敗を決する最大の要素は主将の生命だ。主将が討たれては数万の軍が無傷でも負けである。桶狭間の合戦では今川義元が殺されたために前後にいた二万余の今川軍は無傷のまま退却し、やがて霧散してしまう。その事を考えると、信長が我が身の安全をまず第一に考えたのは、「負けないための措置」としても正しい。下手に見栄を張ったり部下を惜しんだりしなかった所に、信長ならではの「見切り」の見事さがある。いわば「負のハートランド戦略」だ。

五

「上様は……、早やお退きか……」

蜂須賀小六が、呆気《あっけ》にとられたように呟いた。

「そうよ。今頃はもう二里も先を駆けておられようぞ」

兄が黒ずんだ頰を歪めていった。

主将の逃走が将兵の士気を喪失させることは昔も今も変りがない。だが、この場合には、それさえも感じる余裕がなかった。戦さに負けて逃げたのではない。戦さになる前に逃げ出したのだ。あまりの鮮やかさがかえってさわやかでさえある。

「して……、このあとはいかがなりますかな」

やがて、竹中半兵衛が冷めた声音でたずねた。信長一人が逃げ出すのは簡単でも、あとに残った三万の大軍の引き揚げは容易ではない。その中の一員となれば、信長の見切りのよさばかりを賞めているわけにはいかない。

「殿払《しっぱら》いのことか……」

兄・藤吉郎が一段と目を鋭くした。撤退作戦の殿軍《しんがり》のことを、その役目の重要さをもこめた意味では特にそういった。

この当時の撤退作戦は、現在位置で各部隊が反転後退するのが常識である。進む時には最強部隊が先頭なら、引く時にもそれが殿軍を務めて敵の追撃を防ぐわけだ。第一、それが一番速く退ける。

だが、この場合はそれができない事情があった。織田方の最先端には援軍の徳川家康軍がいる。他家の援軍を殿軍にしたのでは、織田家の面目がないばかりか節義も疑われる。下手をすれば三河武士の反感を買い、離反を招きかねない。何といっても撤退作戦の殿軍は半ば以上が討ち死にを覚悟せねばならぬ危険な役目なのだ。それだけに、いざ撤退となれば、誰が殿払いをするかが全軍の関心事となるわけだ。

「我等が殿払いを務める」

兄は、しばらく間を置いて、ゆっくりといった。

「何、我等が殿払いを……」

蜂須賀小六が、竹中半兵衛が、そして小一郎が叫んだ。これはまた、新たな衝撃だった。一同の心中は、「何も後方に位置する我等が殿軍を務めなくとも」といいたい気分だった。

徳川家の部隊を別にしても、木下隊の前には明智光秀、柴田勝家、佐久間信盛、丹羽長秀らの部隊がいる。それが通り過ぎるのをまって、はるか後方の木下隊が危険な殿払いを引き受けなくとも、と思うのは人情だ。だが、兄・藤吉郎は、

「信長様はまた、わしの願いをお聞き入れ下されたんじゃ」

と、こともなげにいった。

流石に信長も、逃走に当って全軍の殿払いを誰にさせるかには気を遣った。そしてその志願者を求めた。こんな仕事は、自ら求める者こそうまくやると考えたのだ。これにまたしても木下藤吉郎が願い出たというわけだ。

「さあ、金ケ崎の城に入れ。あれで暫時敵を喰い止め、お味方が退くまでの時を稼ぐのじゃ」

兄は、そういって作業を促した。殿払いと決れば忙しい。もう脅えている暇もない。

金ケ崎城は無血占領だったので、城郭設備は無傷で残っている。木下部隊三千をもっ

てすれば、朝倉の大軍に囲まれても二、三日は保つだろう。だが、そうなれば確実に死ぬ。救援の見込みはないし脱出の可能性も薄い。たとえ脱け出しても、安全な瀬田あたりまで逃げられるものではない。

〈兄者め、またどえらいことを引き受けてくれた……〉

流石に小一郎は、兄を怨みたかった。だが、全く成算のないことをする兄ではない。

「いつまでこの城に籠る……」

小一郎はそっと訊ねた。

「明日の朝までやろうな……」

兄は、にやりとした。思いのほか短い時間である。

〈それなら何とか……〉

と小一郎も思った。今夜中に包囲されなければ脱出出来る道はある。

夕刻になると、織田方の部隊が続々と撤退して行った。柴田勝家、佐久間信盛、池田恒興、丹羽長秀らの隊が順次来た道を戻る。木下藤吉郎はそれを金ケ崎城の城門に立って見送った。いつもの陽気さで、いちいち部将たちに声をかけ、手を握ったりした。時には、

「この木下秀吉があとをお引き受けする。御安心あれえ」

と叫んだ。決死の仕事をする以上はできるだけ多くにそれを示し、のちに功績を認め

させなければならない。その間に、小一郎は兵を励まして籏旗を多数立てさせた。引き揚げる部隊からもそれを数多く借りた。城内に兵が多数いるように見せて、敵を寄せつけない工夫である。

将校級の者には、部下の監視を強めさせた。撤退部隊にまぎれて逃亡するのを防ぐためだ。この時期の足軽たちは、旗色が悪くなるとすぐ脱走してしまうのである。

やがて、長い四月の陽が暮れかかる頃、明智光秀の隊が通過した。織田家の部隊としては最後の隊だ。

明智光秀はわざわざ城門まで来て、木下部隊を励まし、鉄砲隊一隊を残すと申し出た。光秀は自身も鉄砲術の心得があり、この新武器の威力についての先覚者の一人である。

「かたじけない」

兄は丁重に礼をいい、十数人の鉄砲隊を頂いた。僅かとはいえ援軍が加わったことは、逃亡者で減り気味の部隊を大いに勇気づけた。

それからさらに半刻以上もして、もう一隊が近くを通過した。最先端に出ていた三河の徳川家の部隊である。三河武者たちは装備も服装も織田家の諸隊より地味で貧し気に見えたが、隊伍は整い落ち着いていた。驚いたのは、最後尾というのに長々と荷駄を引いていたことだ。徳川家康は、この火急の際にも、糧秣資材を一切捨てようとはしなかったのである。

〈徳川家康とはどういう男か……〉

小一郎は、ある種の畏敬の念を持って、三河武者の隊列を見送った。身一つで逃走した信長とはまた違った勇気を感じる。

夜になると、兄は竹中半兵衛らの提案を採用して、精兵三千を連れて城を出た。

「小一郎は城を守れ……」

兄はそう命じた。

兄の部隊は城の前方左右に伏せ、敵がうかつに城に近づくと内外から挟み撃ちにしようというのである。こうしておくと、今夜一晩は包囲されることはあるまい。明朝の脱走路を確保するにはこれが最良の方法だ。

兄が出てしまうと、金ケ崎城には七、八百人だけが残った。淋しさと恐ろしさが小一郎を襲って来て、寒くもないのに身が震えた。

「武士は勇気じゃ、骨が鳴るほどに怖くとも退かずに進む。それができたら戦さ働きは十分にできる」

八年前の夏、「わしの家来になってくれ」と頼んだ時に兄のいった言葉を、小一郎はこの時しみじみと思い出した。

幸い、その夜、朝倉勢は攻め寄せて来なかった。織田方の撤退が予想外に早かったので反攻の準備が整わなかったのだ。翌朝、四月の太陽が顔を出した時、小一郎は「助かった」と思った。だが、兄からの撤収命令はなかなか来なかった。それが届いたのは、辰の刻（午前八時）を過ぎてからである。そしてその時には、兄ははるか先を駆けていた。

勿論、小一郎もそれに習った。一食分の腰兵糧だけを持って駆けに駆けた。やがて兄と共に城外に出ていた部隊の後尾に追い付いた。

その頃から、朝倉の追撃軍も追いすがって来た。小一郎は鉄砲を乱射して敵を遠ざけ、すぐまた走った。この時ほど射程距離の長い鉄砲が有難いと思ったことはない。これが多かったことが、小一郎の部隊を救ったといってよいだろう。蜂須賀小六の組が、続いて木村常陸介や加藤作内の組が来て、追って来る朝倉勢と交戦し小一郎らを援けてくれた。最早、小一郎が城内から連れ出した部隊は隊伍をなしていなかった。

間もなく、兄の本隊とも合流できたが、敵の追撃はいよいよ激しく、昼を過ぎると木下部隊は崩れ去りちりぢりになった。藤吉郎も小一郎も身一つで走った。だが、間もなく救いがあった。徳川家康の部隊に追い付けたのだ。頑固な三河の大名は、依然として荷駄を先に立ててのろのろと進んでいたのである。

試練のとき

一

人間、上り坂の時には、押せ押せムードで成功を重ね発展して行くことも、さほど難しいものではない。成長の日々は、本人も楽しく周囲も活気づいている。組織の内部は引き締まり、人材も自ずから参集する。夢は限りなく拡がり世に不可能はないようにさえ思えるものだ。

だが、ひと度躓《つまず》くとすべてが逆になる。

外的な困難と心理的な苛立ちが重なり、組織の内部には相互非難と猜疑が生じ、離反と裏切りが続出するのも珍しくない。よりよき明日の展望もなく、現状よりも悪化を防ぐためにあくせくする日々は、その現状がどんなにきらびやかでも耐え難く苦しいものだ。

人間誰しも、落ち目にはなりたくない。しかし、長い人生において、また組織として、一本調子の上昇ばかりが続くことなど滅多にない。殊に、偉大な目標に向かって急進する野心的な人生や積極的な組織の場合には、躓き転ぶと打撃は大きい。それだけに、この苦難に満ちた後退の時期をいかに切り抜けられるか、その巧妙さと頑強さこそ、人間や組織の価値を決定する。

日本の歴史でも、偉大な成功者、なかんずく天下を制したような英傑はみな、好調期の攻めの鋭さとともに、苦難の時期の守りの固さを持っている。

源頼朝は伊豆山中で敗戦に耐えて気力と味方の結束を保ったし、足利尊氏は敗走のあとで九州から再起した。徳川家康も三方ケ原の大敗に耐え豊臣秀吉との外交戦での屈辱を乗り越え、石川数正の出奔後の動揺を抑えて、覇気と組織を維持し続けた。

日本史上、最も苛烈な個性と猛烈な攻撃精神の持ち主であった織田信長の生涯にも、幾度かの後退の時期がある。その中の一つ――恐らくは最も苛酷な試練――が、元亀元年四月の今、はじまろうとしていた。年来の同盟者であり信長の妹婿でもある浅井長政が、突如敵方に寝返ったのだ。

永禄三年の桶狭間における快勝以来、織田信長は常に攻勢をとって来た。斎藤龍興を討って美濃を奪い、伊勢を攻めてこれを征し、楽市楽座の制をひろめて領内の不安を除き、足利義昭を担いで上洛し、六角、三好の輩を追って畿内十カ国のほとんどを服せしめた。この十年間の信長と織田家は、史上稀に見る成功の連続であり、痛快な上昇であった。

桶狭間当時、織田信長が完全に支配していたのはたった二十万石、兵力僅か四千人だったのに、今は四百万石近い領地と約八万の動員兵力を誇っている。

だが、この間に織田家の抱え込んだ問題と矛盾も多い。織田家代々の重臣と征服戦争に活躍した出世の部将との相克、織田家生え抜きの者と新付の大名たちとの不調和、地域ごとの利権や慣習と統一政権としての共通政策の矛盾、そして何よりも足利将軍義昭の求める復旧の夢と信長のもつ斬新な新秩序との理想の激突である。

これらを考えれば、十年間に約二十倍にも膨れ上った織田家というものは、か細い柱に麦藁作りの大屋根を重ねたような危なっかしい巨閣の感があった。

「織田家の急造大伽藍などは一撃で揺らぎ、一震で傾く。一点の火を発すれば防ぎようもなく燃え尽きるだろう」

元亀元年（一五七〇）当時、多くの人々はそう見ていたに違いない。武田、上杉、毛利、朝倉、本願寺などの外部の大勢力は勿論、内部といってよい足利義昭や、浅井、松永らも同じ考えだったはずである。愚かではなかった彼らが、次々と信長に反抗していくのは、それぞれに勝算があったからだ。

この時期の織田家は、一つの躓きが死につながりかねない危険な状態だった。そして、今起った浅井の離反は、その危険を現実のものにする大きな躓きであった。

戦国乱世のこの時代、寝返りの例は数多い。大名間の争覇は相手方の部将、豪族を寝返らせる競争といってもよい。織田信長自身、美濃、伊勢を取れたのは、その地の豪族、地侍の多くを調略誘降できたからだ。

ところが、寝返りにも効果的なタイミングというものがある。最も劇的なのは合戦最中のそれで、関ケ原での小早川秀秋や脇坂安治がその典型だ。賤ケ岳で柴田方の前田利家が突如戦線を離脱したのもこれに準ずる。いずれの場合も、この寝返り一発で大勢が決し、敗者はたちまちにして滅亡してしまった。

元亀元年四月、浅井長政がやったことも、これに近い。浅井は、織田と共に戦場に出ていたわけでもなければ、織田方につくと確約していたわけでもない。浅井は、織田との同盟に当って「朝倉を攻めないこと」を条件にしていたのだから、違約の責はむしろ信長にあったといえる。

こうした倫理上の問題はともかく、軍事的政治的な意味では、関ケ原の小早川、賤ケ岳の前田に類似した効果があった。それは、織田、朝倉の戦闘中に、その背後で起ったのだ。それだけに、この事件が越前に侵入していた織田軍団に巻き起した恐怖は大きく、数万の織田軍が算を乱して遁走したのも不思議ではない。しかし、そのあとのことは、関ケ原や賤ケ岳とは全く違っている。

四月二十八日、金ケ崎から撤退した織田信長は、翌二十九日、湖西の朽木谷《くつきだに》で諸隊の到着を待ち、三十日には無事京都に入った。殿軍《しんがり》を務めた木下藤吉郎、小一郎兄弟も、これに同行している。諸隊ばらばらの形ながらも朽木谷の辺で追いついた。

京の街には、浅井、六角が反織田連合に加わったことも、織田軍が大敗潰走したことも既に知れわたっていた。通信機関もマスコミもない当時、口から口に伝わるコミュニケーションは今日の人間が考える以上に速い。殊に、時勢に敏感な都人は情報通である。足利義昭らを中心とする旧勢力は信長の没落の近い事を期待して、一段と活気づいていた。

織田信長にとっては一日も無駄にできない情勢だ。敗戦のまま日を過ごせば、内外の敵を勇気づけ、各地に叛乱が生じることは明らかである。

〈直ちに反攻を……〉

湖西の野を駆け抜ける時から、信長はそれを考えていた。躓き転んだ時こそ攻勢防御に出る積極性と気力が大事だ。だが、算を乱して逃げ帰った織田軍は、兵糧装備の多くを失っていた。信長はまず、武器調達を急いだ。畿内の反織田勢力に体制を整える暇を与えてはならない。

木下藤吉郎秀吉が、信長の命を受けて、堺の豪商、今井宗久に鉄砲、弾薬の調達を依頼した六月四日付の手紙が今も残っている。それには、寝返った浅井長政を直ぐ攻撃するため三つの砦を設けることになったと述べ、その一つには木下秀吉が兵三千を率いて入り、その二つには氏家直元（卜全）と伊賀定次が、その三つには稲葉貞通と水野信元が、それぞれ陣取る予定だ、とある。

金ケ崎の撤退から一カ月後には、織田軍は早くも本格的な反攻態勢を作りつつあったわけだ。この迅速な態勢立直しが、朝倉方の優柔不断さと相まって、叛乱の連鎖発生を防ぐことになった。「流石《さすが》に信長」といえる見事な気力である。

だが、こんな苛酷な主君に仕える者は楽ではない。織田家の部将たちは、逃げ帰ったその日から、部隊の再編成や物資調達に駆け廻らねばならなかった。遠く三河まで引き揚げた徳川家康などは文字通り休む暇とてなかっただろう。

特に、殿軍を務めた木下組は、多数の死傷者、落伍者を出し、兵糧装備のほとんどを失っていたから大変だ。信長の側に呼ばれることの多い兄・秀吉に代って、小一郎秀長が兵員装備の補充を総括指導した。

必要な資金は兄が信長から借り出してくれたからよかったものの、実際に物資を集めるのは容易ではない。あまり慌てて買いあさると足元を見られて値段をつり上げられる。他の部将との取り合いも起る。足軽から成上った兄には諸将の嫉妬も強いから、こんなことでもめては大損だ。小一郎は、はやり立つ部下を抑えて、大坂、堺にまで足を延ばして買い物をした。

それでもまだ、物の方はましだ。死傷者、脱走者を出した兵員の補充はもっと難しい。父祖伝来の領地のない木下家では、土地の者から動員することはできない。親が死んだらその子を、兄が傷つけば弟を、というこの当時の常識的な兵員補充方法が、ここでは採れない。このため、木下組は多くの浪人を採用した。戦国時代には諸国を渡り歩く浪人は数多く、京都あたりにはそれがいくらもたむろしていたから、数はすぐにも揃う。しかし、こうした異分子を部隊に加え、在来の尾張者と融和させるのはたやすいことではない。浪人相互の格付けや編成も難しい。天下の大名を渡り歩く者は、みな大言壮語し、自己宣伝に熱心だ。他人の風下に立つのを快くは思わない。余程、人を見る目と調整の才がなければ出来ない仕事である。

小一郎は、あまり重要でない雑兵は、各部隊に分散して預けたが、多少とも気骨のある士官級は我が手元に置いた。自らの目で人物を見、手腕を確かめるためだ。この経験が間もなく大いに役立つことになるのである。

二

さて、この年五月二十一日、一旦岐阜に戻って部隊再編成を終えた織田信長は、約一カ月後の六月十九日、再び大軍を率いて近江に侵攻した。敵となった浅井長政の小谷城を攻めるためである。既に、先進拠点を築いていた木下藤吉郎は、この時も先鋒を務めた。

織田勢は、長競《たけくらべ》・刈安《かりやす》の二塁を落し、一気に小谷城に迫ったが、城は急峻な山上にあり、浅井方の抵抗は激しく、到底落すことができない。その上、城攻めを中断して退き逃げようとした時、浅井勢が追尾して来て織田方はかなりの損害を出した。

この戦いでは、木下組には大した戦功もなかったが、藤吉郎は得意の調略の才を発揮して、長競の守将・樋口直房を味方につけることに成功している。これは、その後も木下藤吉郎が浅井攻めの先鋒を務める権利を得たことを意味する点で重要である。

小谷城攻めを中止した信長は、六月二十四日、矛先を横山城に転じ、徳川家康の軍と共にこれを包囲した。これに対して浅井長政は、朝倉景健を将とする一万余の来援を得て出陣、横山城の危急を救おうとした。かくしていわゆる「姉川の合戦」がはじまるのである。

当初、両軍はそれぞれ山頂によって陣を取っていたが、六月二十七日早朝、朝倉、浅井の軍は後退すると見せかけて姉川近くに前進して来た。このため、山陣を降りて迎戦態勢を採った織田、徳川方の部隊と直面する形をとった。朝倉軍一万余、浅井軍八千の計一万八千と、織田二万三千、徳川六千の都合二万九千人とが、姉川の流れをはさんで決戦の陣を敷いたわけだ。

この時、双方はそれぞれ二列縦深陣地を取ったらしい。つまり、姉川の北側には朝倉を右翼（西）、浅井を左翼（東）とした連合軍が、南側には織田を右翼（東）、徳川を左翼（西）とした同盟軍がいた。双方の兵力は明らかに左右不均衡だった。このため信長は、織田軍の中から稲葉通朝に兵一千を与えて徳川勢の援護におもむかせた。一万余の朝倉軍に相対する六千人の徳川軍に、たった一千人しか援軍を送らなかったのは、三河武士の強さを信じていたせいだろうか。

木下藤吉郎にとっても、小一郎にも、これほどの大合戦ははじめての経験だ。強敵を目前にして藤吉郎は功名の期待に武者振いし、是非にと先鋒を命じられんことを信長に願い出たが、これは聞き入れられなかった。この日、木下秀吉の部隊は、織田十三段構えの第三陣であり、前方には第一陣の坂井政尚、第二陣の池田勝三郎恒興の計六千人がいた。

それでも、木下組は全面戦闘に巻き込まれた。午前十時頃、浅井方の先鋒大将、磯野員昌が突進して来て、たちまちにして織田方の第一、第二陣を突破してしまったのである。木下組はこれを阻止しようと必死に戦ったが、浅井勢は浅井政澄、阿閉貞征、新庄直頼らを続々と押し出し、主将長政自身も前進して来るという猛烈さで木下組の陣地も突き崩されてしまった。この日、織田軍の十三段構えは九段目まで破られ、信長の本陣で辛うじて支える有様だったという。依然として織田信長の兵は白兵戦にはひどく弱かった。信長がいち早く鉄砲に頼るようになった原因の一つは、刀槍戦における自軍の弱さを認識したからでもある。

これに比べて、徳川家康の三河兵は期待通りに強かった。一、二陣の酒井忠次、小笠原長忠の二千あまりで朝倉勢の攻撃を抑え、家康の本隊は左に迂回して攻勢をとり、かえって朝倉の大軍を圧倒した。このため、朝倉勢は徐々に戦線を離脱して行った。来援の朝倉軍は、いささか戦意が不足していたのかも知れない。

その頃、織田軍にもようやく救いがあった。信長の本陣までが危ないのを見かねて、横山城の抑えに残されていた氏家直元、安藤守就の部隊が戦場に駆けつけ、浅井勢の左翼を突いたのだ。

朝倉軍の後退で右翼が露出し、氏家、安藤の圧力を左翼に受けては浅井長政もたまらず、遂に後退して小谷城に逃げ込んだ。合戦の終ったのは午後二時頃という。戦死者の数は、朝倉、浅井連合軍が千七百、織田、徳川同盟軍が八百余と伝えられる。敗れた朝倉、浅井にしても、死者は参加人員の一割以下だ。軍事的には壊滅的な損害というほどではない。それ故、この合戦のあとも、朝倉、浅井はまだかなり生き延び、織田信長を散々に苦しめる事になる。

姉川の合戦は、織田信長の勝利に終った。信長は、この結果を足利義昭や毛利家に大袈裟に伝えている。彼らに対する牽制のためだ。このため、巷《ちまた》には尾ヒレのついた噂も流れ、浅井長政、朝倉景健も戦死したといわれたほどだ。情報通の公家、山科言継さえそう日記に書きとめている。

勿論、近江の軍事情勢も変化した。姉川の合戦で援軍が敗退したため、横山城は陥落し、浅井領の南半分は切り取られ、その中に、磯野員昌が籠る佐和山城だけが孤立する形になってしまった。

信長は、これに対して東の百々《どど》に砦を築いて丹羽長秀を置き、周囲の山塞にも市橋長利、水野信元、河尻秀隆を配して包囲の態勢を取った。また、占領した横山城は木下秀吉に与え、浅井長政の籠る小谷城を監視させた。この以降、横山城は北近江における織田方の策源地となり、木下秀吉がこの方面の司令官を務めることになる。

この二年間、京都奉行など行政を主としていた木下秀吉は、再び前線司令官兼外交諜報官として軍務に戻ったわけである。

三

しかし、時間が経つに従って、姉川の勝利が生んだ効果も薄れて行く。合戦での勝利にもかかわらず、浅井も朝倉も亡んだわけではないことが深く認識されるに従って、織田信長が、北近江と越前に強敵を抱えている大戦略的配置が人々の目に浮び上って来たのである。

これにまず反応したのは、畿内を追われていた三好三人衆だ。七月二十一日、彼らは再び摂津に上陸。野田、福島に砦を築いて反攻の姿勢を示した。海を隔てた四国に金城湯池ともいうべき領国を持つ三好衆は、追っても追っても舞い戻って来るハエのようなうるさい存在だった。

だが、この頃には、それ以上の強敵——恐らくは織田信長の生涯を通じて最強の敵——が、ようやく動き出そうとしていた。摂津大坂の石山に本拠を構え、全国津々浦々に大小の拠点をもつ本願寺である。

農民とそれを基盤とする地侍から熱烈な信仰を受けていた本願寺・一向宗は、戦国の中で農本主義的な政治性を持ち、寺院を塞とし、地侍を指導勢力とする独立小王国を全国各地に作っていた。中には、加賀のように一国全部が一向宗徒の自治組織で支配されていた所もあるし、紀州の雑賀《さいか》や伊勢長島のような強力な武力を持つ自治組織もあった。一向宗は来世での救済を説く末世思想と、大名による支配搾取を拒む一種の宗教共和国的政治理念を持っていたのだ。

これは織田信長の目指す絶対君主による全国統一、「天下布武」とは相容れない。それ故、二年前からの信長の勢力拡大を本願寺は苦々しい思いで見つめていた。特に、信長のはじめた楽市楽座や年貢の統一的な徴収は、本願寺とその末寺の収入源を奪うものであり、許すことができない暴挙弾圧に思えた。

これを信長の側からみれば、本願寺こそ宗教のあるべき則を越えて世俗に権力を拡大し、愚民を欺いて利を貪る怪しからぬ邪教ということになる。徐々に反抗的態度を強める本願寺は、遠からず征伐せねばならない相手だ。

こうした聖俗二大勢力の反目は、信長の敵にもよく分る。当然、朝倉、浅井も、三好三人衆も、足利義昭も、本願寺が反織田大同盟に加わり積極的に活動することを期待した。信長にとっては、まるで導火線を張りめぐらした地雷火を床下一面に埋められたような気色の悪さである。

織田信長は決意した。本願寺を封じ込めることをである。八月二十日、岐阜を発った信長は二十五日摂津に入り、翌二十六日には三好勢の籠る野田、福島の砦を囲み、天王寺まで陣を進めて天満、森の宮、海老江、川口、神崎、難波にそれぞれ部将を配して陣を固めさせた。明らかに石山本願寺を包囲する形だ。軍事圧力によって本願寺の動きを封じようという意図は明らかである。

本願寺の方も危険を悟った。そして臆することなく行動した。

九月五日、紀州門徒に出陣を要請、翌六日には諸国の門徒に対して檄《げき》を飛ばし、信長に反抗するよう呼びかけた。第十一世宗主、顕如の名によるこの檄文は、信長のやり方は迷惑千万であると書き、織田に反抗せぬものは破門する、と宣言している。いよいよ力の対決に踏み切ったわけだ。

九月十二日夜半、突如石山本願寺は早鐘を打ち鳴らし、自ら挙兵した。紀州門徒の鉄砲隊多数が入ったからである。これが十年間にわたる長い苦しい戦いのはじまりであった。

本願寺は、いかなる大名よりも長く信長と戦った。朝倉、浅井が亡び、足利義昭が追われ、武田信玄、上杉謙信が死んだあとも、この寺院だけは屈しなかった。そしてどの勢力よりも多くの織田兵を討ち、自らも最も多くの血を流したのである。

本願寺の決起は、反織田勢力の総てを大いに勇気づけたことはいうまでもない。野田、福島に砦を構えた三好勢は屈しなくなったし、姉川に敗れた朝倉、浅井もこれと連絡を取りつつ近江から山城に進出して来た。織田信長は、完全に腹背に敵を持った。この時こそ、織田信長の生涯で最大のピンチであったろう。

九月二十三日、信長は摂津の陣を払って京に戻り、翌二十四日には坂本に出て、朝倉、浅井を攻めようとした。だが、朝倉、浅井の軍勢は比叡山に上って持久の策をとる。信長は比叡山延暦寺に対し、分国内の山門の領地返還を条件に勧降したが、寺は「朝倉、浅井贔屓」の態度を改めなかった。

しかもこの間に、本願寺の命を奉じた伊勢長島の一向宗徒が本領尾張の小木江城を攻めるという事件が起っている。尾張小木江城には、信長の弟・信興が守っていたが、衆寡敵せず落城、信興は殺された。前面に朝倉、浅井、背後に三好と石山本願寺を抱えていた信長は、弟を見殺しにせねばならなかった。流石に織田軍団も四国に敵を持っては手薄だったのである。

だが、十一月に入ると、織田方にもかすかな光明が見えて来た。雪が北越の野山に降り、越前からの兵糧輸送が困難になり出したことだ。朝倉勢はもう長く比叡山に留まれない。信長はこの機会を見逃さなかった。というより、待ちに待った時期がやっと来たという思いだったろう。

十一月二十一日、信長はまず南近江の六角承禎との和睦に成功する。北嶺が雪で覆われる時、織田の大軍が南近江に殺到すると恐れた六角は、その前に信長と和したのである。続いて十一月晦日《みそか》、足利義昭を三井寺まで連れて来て、朝倉、浅井にも和議に応ずるよう勧告させ、さらに朝廷を動かして天皇からも講和を命じられるという形を作った。

積雪で糧秣輸送に窮していた朝倉義景、浅井長政もこれに応じ、信長もまた「上意、黙止難し」と称してこれを受け入れた。十二月十二日のことである。

織田信長は、ようやくにして第一の窮地を脱した。織田家の諸将はみな、胸をなでおろす思いだったろう。だが、これで安堵しているわけにはいかない。信長も、勿論そんなつもりはなかった。年が明けるとすぐ、周囲の敵の各個撃破にとりかかる。その第一弾は、新年（元亀二年）正月二日、横山城の木下藤吉郎に下命した姉川封鎖である。

近江、姉川から琵琶湖畔朝妻まで水陸一切の交通を遮断し、上方と北近江、北陸との間の人と物の交流を止めようというわけだ。大坂の本願寺などと朝倉、浅井、加賀門徒らとの連絡を断とうとしたのだといわれているが、真の目的はむしろ物資流通を止めて、朝倉、浅井らの財源を減らす経済封鎖の方だったろう。新兵器の鉄砲が朝倉、浅井の手に渡るのを止めるのも目的の一つだったかも知れない。姉川の合戦によって、堺と並ぶ鉄砲の産地、近江国友村も織田の勢力圏に入っていたのだ。

次いで一月末、信長は滝川一益に命じて、伊勢長島を攻撃させたが、これは大した効果はなかった。長島の門徒宗は願証寺を中心に付近一帯の支寺を城塞化し、本願寺から派遣された下間《しもつま》盛照らの指揮のもと、強力な軍隊組織を作っていた。願証寺の証意は自ら「長島殿」と称し、戦国大名気取りになっていたほどである。

織田方で最初の得点を上げたのは、丹羽長秀だ。二月二十四日、浅井の重鎮・磯野員昌を降伏させて佐和山城を陥落させたのである。信長は、この城を長秀に与え、北の前線拠点・横山城と岐阜、京都を結ぶ拠点とした。長く伸びた織田方の動線を安定させた意味は大きい。

しかし、全体の情勢は一進一退で、五月には、木下藤吉郎の横山城も浅井長政の攻撃を受けた。また、信長が再度試みた伊勢長島攻撃は、門徒勢の迂回待伏せにあって、柴田勝家が負傷、氏家卜全が戦死するという敗北に終った。そしてその噂がまた、信長の敵を活気づけた。

織田方としては、どれか一つの敵を倒さねば活路の開けぬ窮状が続いた。この時、織田信長が最初のターゲットに選んだのは、天下を仰天させる意外な相手だった。

元亀二年八月十八日、突然近江に出馬した織田信長は、まず木下秀吉の横山城に入り、余呉、木之本方面を放火して回る。次いで、二十八日には丹羽長秀の佐和山城に入り、九月三日には南近江の本願寺派拠点・金ケ森を攻略した。

この頃まで信長の出馬目的は味方にも知らされておらず、みな京に向かうものと思っていたらしい。ところが、九月十二日に至って比叡山攻撃が下命されたのである。

この前年、朝倉、浅井の軍勢が比叡山に登った時、信長は、味方すれば分国中の山門領を還付するが、さもなくば、

「根本中堂・三王二十一社初奉り焼き払はるべし」

と書き送ったことがある。だが、まさか本気と思う者はいなかった。

何しろ「叡山」といえば、伝教《でんぎよう》大師以来鎮護国家の大道場としての権威を誇り、藤原道長すら都に繰り出す叡山の僧徒には手がつけられなくて困ったほどだ。開山以来六百余年、数々の名僧学識を生んだ伝統もある。しかも、この寺は本願寺のように積極的

な武力攻撃にでているわけではない。「信長の敵」朝倉・浅井に便宜と避難場所を提供しただけである。

当然、織田家の武将からも反対がでた。明智光秀はこの権威ある大寺院を攻めることの政治的悪影響を恐れたし、佐久間信盛は学僧貴財を失うと主張した。しかし、信長は聞き入れず、社寺塔堂五百余棟を一宇も残さず焼き尽し、僧俗男女三千人の首をことごとくはねさせた。

この時、信長は、叡山伝来の数々の仏像の尊さを説く明智光秀に、

「光秀は知らぬらしい。あれは木と金《かね》とでできているのだ」

と応じたという。

信長は、自らの壮烈な行動によって無神論を唱えると共に、政宗分離の政治理念を血と炎で天下に明示したのである。この反面、信長は朝廷に対しては尊重の意を篤く表し、洛中洛外から集めた米を京の町衆に貸し、その利米を宮廷費の一部にあてるような施策を取っている。土地寄進が一般だった農本社会の発想を超越して貸し米の利子にしたあたりは信長らしい。この男は、多くの伝統的権威を踏みにじる代償として朝廷の権威を高める策に出たのだ。信長にとっては、古い権威などは、いくらでも代りが造れるものだったのだ。

四

元亀元年の姉川の合戦以来、木下藤吉郎秀吉は、兵三千を率いて横山城にあった。浅井長政の籠る小谷城を監視し、その動きを封じるのが任務である。

だが、織田家中が多忙なこの時期、藤吉郎も横山城だけを守っていればよかったわけではない。本願寺の決起に呼応して朝倉、浅井が比叡山に進出して来た時には、百々の守将、丹羽長秀と共に、建部、観音寺の一揆を討伐しながら信長のもとに急行した。また、徳川家康が派遣した石川家成以下二千の援軍を瀬田に出迎えたのも木下藤吉郎である。

中でも注目されるのは、十月二十日、大津の顕証寺に与えた信長の安堵状に、藤吉郎が添え状を出していることだ。顕証寺は本願寺の末寺なのに、信長が安堵状を与えたのは、本願寺勢力を分断するためだろう。そしてそれに藤吉郎の添え状がついているのは、彼がこうした政略面でも大いに活躍していたことを示している。藤吉郎の調略の才は、ここでも発揮されていたのだ。

この年の後半、木下藤吉郎はほとんど横山城にいる暇もなかった。もっとも、浅井長政の方も湖北を迂回して比叡山に来ていたのだから、横山の留守は蜂須賀正勝や、信長から付けられた竹中重虎らに託しておけばよかったのだろう。北近江に相対する両将は、互いに牽制し合いながらも活発に動いていたのだ。

しかも、木下藤吉郎は織田と朝倉・浅井の講和が成立した元亀元年十二月には、京に入りその守備と治安維持にも当っている。本願寺と足利義昭の策謀で、京洛一帯に不穏の空気が広まっていたからだ。

翌元亀二年になると、前述の交通遮断の仕事が木下藤吉郎には加わった。姉川を渡る陸路はともかく、朝妻までの湖畔を監視せねばならない水路の封鎖は楽ではない。しかも、この封鎖が効果を上げると共に、浅井方の反撃も強まって来る。この年五月、浅井長政が横山の属城、箕浦城に攻め寄せたが、藤吉郎は精兵百騎を率いて駆けつけ、城主の堀秀政と協力して撃退している。

木下藤吉郎は、比叡山焼打ち作戦にも参加した。しかし、この時、藤吉郎がどんな働きをしたか、正確には分らない。ただ、明智光秀や佐久間信盛のように、比叡山焼打ちを諫めるようなことはしなかったのは確かだ。この男には、宗教に対する尊重心も学術的機能に対する愛惜も乏しかった。藤吉郎秀吉の頭脳と精神は、もっと実用的にできていた。そんな兄を、弟の小一郎も至極当然のように見ていた。いわゆる「教養」というものが乏しかったこの兄弟は、世の「常識」とかによって生み出される虚構をさして尊ぶことはなかったのだ。この点、信長のような他人の容喙《ようかい》を許さぬ強烈な個性と政治思想を持つ主君に仕えるのには適していたといえるだろう。

実際、軍事・政治的に見る限り、織田信長の比叡山焼打ちは成功だったといえる。この一件は、信長の粗暴さを印象づけもしたが、それ以上に言葉通りに実行する男という恐怖を与えた。現実に武力反抗している相手ではなく、敵に便宜を供与しただけの比叡山をターゲットとしたことが、それを一段と強める効果を持った。これ以後、畿内の大小名や寺社は、織田に抵抗することの危険を悟り、迂闊には動かなくなった。だが、その反面、一旦敵対した者は徹底抗戦せざるを得ないことにもなる。旧体制の破壊者として、「天下布武」の絶対王制を志向する革命児・信長にとっては、それは避けられない道であったろう。

この結果、織田の敵と味方ははっきりと分かれた。翌元亀三年（一五七二）は、そんな状況ではじまる。この年は、木下藤吉郎・小一郎の兄弟にとっては、小谷城をめぐる攻防で明け暮れた。

まず、正月早々に一事件が起る。元旦、岐阜城で信長の三男・信孝（伊勢の豪族、神戸家の養子に入り込み、神戸信孝を名乗っていた）の元服の祝儀があり、藤吉郎も出席していた。ところが、その留守を衝いて、浅井方の浅井七郎、赤尾清冬が横山城に攻め寄せたのだ。

留守を預っていた竹中重虎はよく防いだが、衆寡敵せず城の第二郭まで破られ、加藤光泰は負傷し、苗木佐助は討死するという苦戦だった。この時、岐阜からの帰途にあった藤吉郎は、急報に接して大急ぎで馳せ戻り、竹中重虎らもこれを遠望して討って出た。ために浅井勢は挟撃される形となり、小谷城に引き揚げた。

約二年にわたる北近江の戦いは、双方得る所とてなく、小谷、横山をめぐる小競合いに終始していた。このことは、浅井方の小谷城の堅固さを示すとともに、浅井に織田勢力を追う力のないことをも明白にした。浅井は姉川以南の領地を失っていたし、交通封鎖と再三にわたる織田勢の放火によって財政難も著しかった。このことが、浅井の属将を揺がせ、木下藤吉郎に調略のチャンスを与えた。木下藤吉郎が目をつけたのは、宮部継潤《つぐます》なる人物である。

のちに羽柴秀吉配下の行政官としても活躍するこの男は、もと湯次神社の別当善祥坊の住持、いわば僧兵上りだ。それが湯次下荘を横領して領主となり、宮部氏を名乗る豪族と化していたのだ。

木下秀吉から勧誘を受けた宮部継潤は、浅井の衰勢と諸方の形勢を観望し、妻子の人質を小谷城から奪って款《かん》を織田方に通じた。信長は大いに喜び、三月には横山城に来て虎御前山に長陣を張ったが、浅井長政は城を出ず、得るところがなかった。

ところが、四月、今度は織田方の方に問題が起る。三好義継と松永久秀が叛乱し、三好は摂津の若江城、松永は大和信貴山城に籠ったのだ。調略は織田方の専売ではなく、敵方も盛んにやっていたのである。

奇妙なことに、この叛乱はごく短期に、何事もなかったかのように終る。信長が討伐軍を送り一当てすると、足利将軍から和解勧告が出て、松永らはまた元の織田家の部将に収ってしまう。恐らく、叛乱を煽ったのは足利義昭自身だったからだろう。松永久秀が本当の叛乱を起して敗死するのは、まだ五年も先のことだ。

松永久秀らの騒動が一段落すると、七月、また信長は五万の大軍をもって小谷城を攻める。今度は虎御前山に砦を築き、明智光秀、中川重政、丹羽長秀らに湖西にも築城をさせるという本格的な長期作戦だった。

この戦いは五十日にも及んだが、越前から朝倉の軍勢二万が来援したので、信長は横山城に引き揚げた。この間、木下藤吉郎は別働隊として、阿閉貞征の山本城を攻めたが、五十あまりの首を取って信長の長子、信忠の初具足の引出物とした程度である。

戦線は依然膠着状態で、大した進展はない。織田方は確実に小谷城の締め付けを強化してはいたが、各方面からの反撃も強く苦しい状態だ。しかもこの時、もう一つの大きな脅威が迫りつつあった。甲斐の武田信玄が、強兵を率いて上洛の途を歩み出していたのである。

北の敵、朝倉、浅井は健在であり、西方には本願寺と三好三人衆が居る。本領尾張の脇腹に張り付いた長島門徒の勢いも衰えてはいない。領国内の各地にも門徒衆の反抗拠点があり、松永久秀らの動きも怪しまれる。こうした内憂外患を併せ持つ所へ、強力無比といわれる武田騎馬隊が攻め寄せて来たのだ。

「信長の命脈も風前の灯」

と見る者も少なくなかったことだろう。巨大な信長包囲網を結成することに成功した足利義昭の高笑いが耳に響くような場面である。

この多忙な苦難の時期に、木下藤吉郎秀吉の側にいたはずの弟・小一郎秀長が何をしていたか、実はそれを伝える記録は全くない。

元亀元年から二年にかけて、藤吉郎はしばしば横山城を留守にしたが、この間の留守居役を小一郎が務めたという話さえ見当らない。留守番役の大将として名の記されているのは、竹中重虎や蜂須賀正勝である。

恐らく小一郎は、兄・藤吉郎と行動をともにしていたのであろう。そして何度か、兄と同じような危険を味わっていたに違いない。だが、この補佐役に徹する弟は、その時も、またのちにも、自らの働きを誇り語るようなことは一切しなかったのである。

ただ一つ、この時期における「この人」の動きを隠し切れぬ事実がある。のちに、兄・藤吉郎が浅井の旧領を得た時、浅井家ゆかりの近江武者の多くが小一郎の家来になっている事だ。「この人」が、戦さの舞台となった北近江の人士を懐柔し、有利な環境づくりに地味な努力を払っていたことを推測させるところである。


（下巻につづく）

文春文庫

豊《とよ》臣《とみ》秀《ひで》長《なが》 ある補《ほ》佐《さ》役《やく》の生涯《しょうがい》（上） 定価はカバーに表示してあります

1993年4月10日 第1刷
2025年11月10日 第33刷

著 者 堺《さかい》屋《や》太《た》一《いち》
発行者 大沼貴之
発行所 株式会社 文藝春秋

東京都千代田区紀尾井町 3-23 〒102-8008
TEL 03・3265・1211㈹
文藝春秋ホームページ https://www.bunshun.co.jp
落丁、乱丁本は、お手数ですが小社製作部宛お送り下さい。送料小社負担でお取替致します。

印刷・TOPPANクロレ 製本・加藤製本 Printed in Japan
ISBN978-4-16-719314-0

（　）内は解説者。品切の節はご容赦下さい。

林　真理子
不機嫌な果実
三十二歳の水越麻也子は、自分を顧みない夫に対する密かな復讐として、元恋人や歳下の音楽評論家と不倫を重ねるが……。男女の愛情の虚実を醒めた視点で痛烈に描いた、傑作恋愛小説。
は-3-20

伊集院　静
羊の目
男の名はサイレントマン。神に祈りを捧げる殺人者――。戦後の闇社会を震撼させたヤクザの、哀しくも一途な生涯を描き、なお清々しい余韻を残す長篇大河小説。（西木正明）
い-26-15

小川洋子
猫を抱いて象と泳ぐ
伝説のチェスプレーヤー、リトル・アリョーヒン。彼はいつしか「盤下の詩人」として奇跡のように美しい棋譜を生み出す。静謐にして愛おしい、宝物のような傑作長篇小説。（山﨑　努）
お-17-3

角田光代
対岸の彼女
女社長の葵と、専業主婦の小夜子。二人の出会いと友情は、些細なことから亀裂が入るが……。孤独から希望へ、感動の傑作長篇。ロングセラーとして愛され続ける直木賞受賞作。（森　絵都）
か-32-5

森　絵都
カラフル
生前の罪により僕の魂は輪廻サイクルから外されたが、天使業界の抽選に当たり再挑戦のチャンスを得る。それは自殺を図った少年の体へのホームステイから始まって……。（阿川佐和子）
も-20-1

有吉佐和子
青い壺
無名の陶芸家が生んだ青磁の壺が売られ贈られ盗まれ、十余年後に作者と再会した時――。壺が映し出した人間の有為転変を鮮やかに描き出した有吉文学の名作、復刊！（平松洋子）
あ-3-5

太宰　治
斜陽《しやよう》 人間失格《にんげんしつかく》 桜桃《おうとう》 走《はし》れメロス 外七篇
没落貴族の哀歓を描く「斜陽」、太宰文学の総決算「人間失格」、美しい友情の物語「走れメロス」など、日本が生んだ天才作家の代表作が一冊になった。詳しい傍注と年譜付き。（臼井吉見）
た-47-1

（　）内は解説者。品切の節はご容赦下さい。

横山秀夫
クライマーズ・ハイ
日航機墜落事故が地元新聞社を襲った。衝立岩登攀を予定していた遊軍記者が全権デスクに任命される。組織、仕事、家族、人生の岐路に立たされた男の決断。渾身の感動傑作。（後藤正治）
よ-18-3

伊坂幸太郎
死神の精度
冴えない会社員、昔ながらのやくざ、恋をする青年……真面目でちょっとズレた死神・千葉が出会う、6つの人生を描いた短編集。著者の特別インタビューも収録。

い-70-3

奥田英朗
イン・ザ・プール
プール依存症、陰茎強直症、妄想癖など、様々な病気で悩む患者が病院を訪れるも、精神科医・伊良部の暴走治療ぶりに呆れるばかり。こいつは名医か、ヤブ医者か？　シリーズ第一作。

お-38-1

黒川博行
後妻業
結婚した老齢の相手との死別を繰り返す女・小夜子と、結婚相談所の柏木につきまとう黒い疑惑。高齢の資産家男性を狙う〝後妻業〟を描き、世間を震撼させた超問題作！（白幡光明）
く-9-13

恩田　陸
木洩れ日に泳ぐ魚
アパートの一室で語り合う男女。過去を懐かしむ二人の言葉に、意外な真実が混じり始める。初夏の風、大きな柱時計、あの男の背中。心理戦が冴える舞台型ミステリー。（鴻上尚史）
お-42-3

柚木麻子
ナイルパーチの女子会
商社で働く栄利子は、人気主婦ブロガーの翔子と出会い意気投合。だが同僚や両親との間に問題を抱える二人の関係は徐々に変化して――。山本周五郎賞受賞作。（重松　清）
ゆ-9-3

篠田節子
冬の光
四国遍路の帰路、冬の海に消えた父。家庭人として企業人として恵まれた人生ではなかったのか……足跡を辿る次女が見た最期の景色と人生の深遠が胸に迫る長編傑作。（八重樫克彦）
し-32-12

（　）内は解説者。品切の節はご容赦下さい。

村上春樹
色彩を持たない多崎つくると、彼の巡礼の年
多崎つくるは駅をつくるのが仕事。十六年前、親友四人から理由も告げられず絶縁された彼は、恋人に促され、真相を探るべく一歩を踏み出す――全米第一位に輝いたベストセラー。
む-5-13

川上未映子
乳《ちち》と卵《らん》
娘の緑子を連れて大阪から上京した姉の巻子は、豊胸手術を受けることに取り憑かれている。二人を東京に迎えた「私」の狂おしい三日間を、比類のない痛快な日本語で描いた芥川賞受賞作。
か-51-1

吉田修一
横道世之介
大学進学のため長崎から上京した横道世之介十八歳。愛すべき押しの弱さと隠された芯の強さで、様々な出会いと笑いを引き寄せる。誰の人生にも温かな光を灯す青春小説の金字塔。
よ-19-5

重松　清
小学五年生
人生で大切なものは、みんな、この季節にあった。まだ「おとな」でないけれど、もう「こども」でもない微妙な年頃を、移りゆく四季を背景に描いた笑顔と涙の少年物語、全十七篇。
し-38-8

角田光代
空中庭園
京橋家のモットーは「何ごともつつみかくさず」……普通の家族の表と裏、光と影を描いた連作家族小説。第三回婦人公論文芸賞受賞、小泉今日子主演で映画化された話題作。　（石田衣良）
か-32-3

森　絵都
風に舞いあがるビニールシート
自分だけの価値観を守り、お金よりも大切な何かのために懸命に生きる人々を描いた、著者ならではの短編小説集。あたたかくて力強い6篇を収める。第一三五回直木賞受賞作。　（藤田香織）
も-20-3

原田マハ
キネマの神様
四十歳を前に突然会社を辞め無職になった娘と、借金が発覚したギャンブル依存のダメな父。ふたりに奇跡が舞い降りた！　壊れかけた家族を映画が救う、感動の物語。　（片桐はいり）
は-40-1

（　）内は解説者。品切の節はご容赦下さい。

又吉直樹
火花
売れない芸人の徳永は、先輩芸人の神谷を師として仰ぐようになる。二人の出会いの果てに、見える景色は。第一五三回芥川賞受賞作。受賞記念エッセイ「芥川龍之介への手紙」を併録。

ま-38-1

村田沙耶香
コンビニ人間
コンビニバイト歴十八年の古倉恵子。夢の中でもレジを打ち、誰よりも大きくお客様に声をかける。ある日、婚活目的の男性がやってきて——話題沸騰の芥川賞受賞作。（中村文則）
む-16-1

宮下奈都
羊と鋼の森
ピアノの調律に魅せられた一人の青年が、調律師として、人として成長する姿を温かく静謐な筆致で綴った長編小説。伝説の三冠を達成した本屋大賞受賞作、待望の文庫化。（佐藤多佳子）
み-43-2

瀬尾まいこ
そして、バトンは渡された
幼少より大人の都合で何度も親が替わり、今は二十歳差の〝父〟と暮らす優子。だが家族皆から愛情を注がれた彼女が伴侶を持つとき——。心温まる本屋大賞受賞作。（上白石萌音）
せ-8-3

姫野カオルコ
彼女は頭が悪いから
東大生集団猥褻事件で被害者の美咲が東大生の将来をダメにした〝勘違い女〟と非難されてしまう。現代人の内なる差別意識に切り込んだ社会派小説の新境地！　柴田錬三郎賞選考委員絶賛。

ひ-14-4

馳　星周
少年と犬
犯罪に手を染めた男や壊れかけた夫婦など傷つき悩む人々に寄り添う一匹の犬は、なぜかいつも南の方角を向いていた。人と犬の種を超えた深い絆を描く直木賞受賞作。（北方謙三）
は-25-10

綿矢りさ
かわいそうだね？
同情は美しい？　卑しい？　美人の親友のこと本当に好き？　滑稽でブラックで愛おしい女同士の世界。本音がこぼれる瞬間を描いた二篇を収録。第六回大江健三郎賞受賞作。（東　直子）
わ-17-2

（　）内は解説者。品切の節はご容赦下さい。

半藤一利
日本のいちばん長い日 決定版
昭和二十年八月十五日。あの日何が起き、何が起こらなかったのか？　十五日正午の終戦放送までの一日、日本政府のポツダム宣言受諾の動きと、反対する陸軍を活写するノンフィクション。

は-8-15

松本清張
昭和史発掘（全九冊）
厖大な未発表資料と綿密な取材によって、昭和初期の埋もれた事実に光をあてた不朽の名作の新装版。一巻には「石田検事の怪死」「北原二等卒の直訴」「芥川龍之介の死」など全五篇を収録。

ま-1-99

堀　栄三
大本営参謀の情報戦記
情報なき国家の悲劇
太平洋戦争中は大本営情報参謀として米軍の作戦を次々と予測的中させて名を馳せ、戦後は自衛隊情報室長を務めた著者が稀有な体験を回顧し、情報に疎い組織の欠陥を衝く。（保阪正康）
ほ-7-1

山本七平
「空気」の研究
誰でもないのに誰よりも強い「空気」。これこそ「忖度」そのものだ。日本人の心に深く根付いた伝統的発想を暴く。発表から四十年を経て、今こそ読まれるべき不朽の傑作。（日下公人）
や-9-14

辺見じゅん
収容所《ラーゲリ》から来た遺書
戦後十二年目にシベリア帰還者から遺族に届いた六通の遺書。その背後に驚くべき事実が隠されていた！　大宅賞と講談社ノンフィクション賞のダブル受賞に輝いた感動の書。（吉岡　忍）
へ-1-1

沢木耕太郎
テロルの決算
十七歳のテロリストは舞台へ駆け上がり、冷たい刃を老政治家にむけた。大宅壮一ノンフィクション賞受賞の傑作を、初版から三十年後、終止符とも言える「あとがき」を加え新装刊行。

さ-2-14

吉村　昭
三陸海岸大津波
明治二十九年、昭和八年、昭和三十五年。三陸沿岸は三たび大津波に襲われ、人々に悲劇をもたらした。前兆、被害、救援の様子を、体験者の貴重な証言をもとに再現した震撼の書。（髙山文彦）
よ-1-40

（　）内は解説者。品切の節はご容赦下さい。

東野圭吾
秘密
妻と娘を乗せたバスが崖から転落。妻の葬儀の夜、意識を取り戻した娘の体に宿っていたのは、死んだ筈の妻だった。日本推理作家協会賞受賞。（広末涼子・皆川博子）
ひ-13-1

東野圭吾
透明な螺旋
今、明かされる「ガリレオの真実」——。殺人事件の関係者として、ガリレオの名が浮上。草薙は両親のもとに滞在する湯川学を訪ねる。シリーズ最大の秘密が明かされる衝撃作。
ひ-13-14

池井戸　潤
オレたちバブル入行組
支店長命令で融資を実行した会社が倒産。社長は雲隠れ。上司は責任回避。四面楚歌のオレには債権回収あるのみ……。半沢直樹が活躍する痛快エンタテインメント第1弾！（村上貴史）
い-64-2

池井戸　潤
シャイロックの子供たち
現金紛失事件の後、行員が失踪!?　上がらない成績、叩き上げの誇り、社内恋愛、家族への思い……事件の裏に透ける行員たちの葛藤。圧巻の金融クライム・ノベル！（霜月　蒼）
い-64-3

湊　かなえ
花の鎖
元英語講師の梨花、結婚後に子供ができずに悩む美雪、絵画講師の紗月。彼女たちの人生に影を落とす謎の男K……。三人の女性たちを結ぶものとは？　感動の傑作ミステリ。（加藤　泉）
み-44-1

宮部みゆき
蒲生邸事件（上下）
予備校受験で上京した孝史はホテルで火災に遭遇。時間旅行の能力を持つという男に間一髪で救われるも気づくと昭和十一年二月二十六日、雪降りしきる帝都・東京にいた。（末國善己）
み-17-12

有栖川有栖
捜査線上の夕映え
マンションの一室で、男が鈍器で殴り殺された。金銭の貸し借りや異性関係トラブルで、容疑者が浮上するも……。各ランキングを席巻した「火村シリーズ」新境地の傑作長編。（佐々木　敦）
あ-59-3

（　）内は解説者。品切の節はご容赦下さい。

辻村深月
太陽の坐る場所
高校卒業から十年。有名女優になった元同級生キョウコを同窓会に呼ぼうと画策する男女六人。だが彼女に近づく程に思春期の痛みと挫折が甦り……。注目の著者の傑作長編。（宮下奈都）
つ-18-1

辻村深月
琥珀の夏
カルト団体の敷地跡で白骨遺体が見つかった。ニュースで知った弁護士の法子は胸騒ぎを覚える。埋められていたのはミカではないか。30年前の夏、私たちはあそこにいた。（桜庭一樹）
つ-18-7

乾《いぬい》くるみ
イニシエーション・ラブ
甘美で、ときにほろ苦い青春のひとときを瑞々しい筆致で描いた青春小説——と思いきや、最後の二行で全く違った物語に！「必ず二回読みたくなる」と絶賛の傑作ミステリ。（大矢博子）
い-66-1

米澤穂信
インシテミル
超高額の時給につられ集まった十二人を待っていたのは、より多くの報酬をめぐって互いに殺し合い、犯人を推理する生き残りゲームだった。俊英が放つ新感覚ミステリー。（香山二三郎）
よ-29-1

柚月裕子
あしたの君へ
家裁調査官補として九州に配属された望月大地。彼は、罪を犯した少年少女、親権争い等の事案に懊悩しながら成長していく。一人前になろうと葛藤する青年を描く感動作。（益田浄子）
ゆ-13-1

道尾秀介
いけない
各章の最終ページに挿入された一枚の写真。その意味が解った瞬間、読んでいた物語は一変する——。騙されては〝いけない〟、けれど、絶対に騙される。二度読み必至の驚愕ミステリ。
み-38-5

ピエール・ルメートル（橘　明美　訳）
その女アレックス
監禁され、死を目前にした女アレックス——彼女が秘める壮絶な計画とは？「このミス」1位ほか全ミステリランキングを制覇した究極のサスペンス。あなたの予測はすべて裏切られる。
ル-6-1